Cáiṫeaḋ na dTonn

Pádraig Ó Gallchobhair (1893-1961)

I nGaoth Dobhair i dTír Chonaill a rugadh agus a tógadh Pádraig Ó Gallchobhair. Ba é Muirghein a ainm cleite. Tháinig sé ar an tsaol i Machaire Chlochair ar an 27 Feabhra 1893. Ba mhac é le Seán an Dubhaltaigh Ó Gallchobhair, a bhí lárnach i gCogadh na Talún fá cheantar Ghaoth Dobhair ag deireadh an naoú céad déag. Chuaigh Pádraig go scoil Chnoc an Stolaire ina óige agus fuair sé scoláireacht a thug go Coláiste Adhamhnáin i Leitir Ceanainn é i 1906. As sin, chuaigh sé go Coláiste Phádraig i nDroim Conrach, áit ar oileadh é mar mhúinteoir scoile i 1914. Theagasc sé ar an Cheathrú Cheanainn ar feadh tréimhse agus bhíodh sé ag teagasc i gColáiste Uladh i nGort an Choirce. Aistríodh go Gaoth Dobhair é i 1923, áit a raibh sé ag teagasc i Scoil Mhuire Dhoirí Beaga agus ina dhiaidh sin rinneadh ardmháistir de ar Scoil Adhamhnáin, an Luinnigh. Ceapadh é mar chigire bunscoile i 1929. D'aistrigh sé go dtí an Caisleán Riabhach i gCo. Ros Comáin ar feadh bliain go leith agus ina dhiaidh sin chuaigh sé go Gaillimh. Aistríodh é go Baile Átha Cliath i 1939, áit ar chaith sé an chuid eile dá shaol. D'éirigh sé as a phost mar chigire i 1958. Bhí sé pósta ar Mhairéad Ní Fhearraigh as Gort an Choirce agus bhí seachtar clainne acu: Niall, Seán, Pádraig, Máire, Dympna, Nuala agus Brighid. Bhí sé mar bhall bunaidh de Ghalfchumann Ghaoth Dobhair sna 1920idí. Bhí dáimh mhór aige ariamh le Gaoth Dobhair agus philleadh sé ar an cheantar gach bliain lena chlann.

Fuair Pádraig bás i mBaile Átha Cliath ar an 10 Márta 1961 agus cuireadh é i reilig Mhachaire Gathlán.

Cáitheadh na dTonn

ina bhfuil

Caoineadh an Choimhthígh
Draíocht Mara
Céile Sheáin Mhóir
Lorg an Phóitín

MUIRGHEIN
a scríobh

EOGHAN MAC GIOLLA BHRÍDE
a chóirigh an t-eagrán seo

Údar: Muirghein – Pádraig Ó Gallchobhair
Bunfhoilsitheoirí: Oifig Díolta Foilseacháin Rialtais, Baile Átha Cliath

An chéad chló, An Gúm 1934
An t-eagrán seo, Éabhlóid 2017

Arna fhoilsiú le caoinchead ó theaghlach Mhuirghein agus ón Ghúm

Éabhlóid
Gaoth Dobhair, Tír Chonaill

ISBN: 978-0-9956119-0-0
Clóchur, dearadh agus ealaín chlúdaigh: Caomhán Ó Scolaí

Buíochas le Brighid Naessens agus Mícheál Ó Domhnaill

Arna chur i gcló in Éirinn ag Johnswood Press Ltd.

Tá Éabhlóid buíoch d'Fhoras na Gaeilge
as tacaíocht airgeadais a chur ar fáil.

Clár

Níl ins na scéalta seo ach cumraíocht,
idir ainmneacha daoine agus eile.

I

Caoineadh an Choimhthígh

Caoineadh an Choimhthígh

I

Bhí spéarthaí brúite an lae ag breacadh ar an Tráigh Mhóir maidin earraigh. Níor leasainm an Tráigh Mhór a thabhairt uirthi nó ba í a bhí fada fairsing. Bhí méilte arda de ghaineamh bhán, agus iad cumhdaithe le muiríní ar thaoibh an talaimh di. De chóir na méilte seo bhí deán ina rith ó chionn go cionn na trágha agus braon maith uisce ann. Fad amhairc ar shiúl ar an taoibh eile, bhí Báigh Ghabhla, cuil chonfach uirthi, tonnaí fíochmhara a raibh círín bán orthu ag ruaigeadh a chéile isteach ar an tráigh agus ag titim uirthi go tolgach torannach trom.

In imeall na dtonn bhí creag mhór gharbh agus í cumhdaithe le feamnaigh. Bhí an fheamnach slíoctha síos le taoibh na creige agus í ag sileadh dá réir mar bhí an lán mara ag titim di. Bhí faoileogaí ag scréachaigh thart fán chreig agus corr mhónadh ina seasamh go codlatach ar a mullach. Muna raibh an chorr mhónadh chéanna sin ag cur lena cosúlacht agus néal a bheith uirthi, chuala sí glugarnach an uisce ag rith fríd na scealpacha, rúscáil na bpartán ag cuartú áit folaithe daofa féin le linn an t-uisce a bheith ag imeacht uathu, agus ceol bog binn na ndeor ag titim as an fheamnaigh ar na polláin uisce a bhí fá bhun na creige.

Nocht an ghrian go fuar ó chúl na gcnoc agus tháinig

madadh ris amuigh ag Boilg Chonaill. Bhí bun dubh druidte ins an aird thoir thuaidh agus séideog lom ghaoithe a d'fheannfadh gabhar ag séideadh as an aird chéanna. Thóg sí léithe ins an aer an gaineamh geal a bhí ar chúl na méilte, agus shéid sí léithe na duilleoga leathaigh a bhí ar mharc an láin mhara, á rollógú agus á dtiontú thar a gcorp gur thiomáin sí isteach i mbun na méilte agus gur chumhdaigh iad le gaineamh síobáin nuair nach raibh sí in ann á dtabhairt léithe níb fhaide.

Trasna na méilte, ag tarraingt chun na trágha agus an gaineamh ag baint na súl astu, tháinig triúr fear bogaosta, glassheanbhean agus cúpla cailín óg. Bhí cléibh ar a nguailneacha leis na fir, a gcasógaí ceangailte go dlúith fána gcorp, agus a mbearáid teannta anuas ar chlár a n-éadain. Bhí mála saic fána coim ar gach bean, seanchasóg fir teannta aniar fána guailneacha, agus brat fána cionn. Thug nimh na gaoithe aduaidh an fhuil i ngruaidh gach duine agus bhain sí féin agus an gaineamh síobáin an t-uisce as a súilibh ina shrutháin. Shiúil an tseisear leo go tostach go dtáinig siad go dtí an deán.

Dhearc an fear ba sine, i gcosúlacht, de na fir ar an chreig a bhí i ndiaidh nochtadh ins an deán agus labhair sé an chéad fhocal a canadh ó tháinig siad ar amharc na trágha.

"Tá thar dhoimhne ár nglúine d'uisce anseo go fóill, agus is fearr dúinn fanacht go dtigidh Mícheál agus an carr. Níl ach amaidí dúinn sinn féin a fhliuchadh nuair atá leigheas air."

"Fliuch a bheas muid cá bith sin, a Shéamuis, agus tá sé comh maith againn siúl linn."

"Seo, beir ar do dheifre, a Antoin a' tsodair! Ní fhaca mé ariamh ach ar chos in airde thú agus go mbéarfaidh an saol sa deireadh ort," arsa Séamus.

"Siúd chugainn aniar ag teach Chaoil anois é," arsa'n tríú fear, "agus nach mór an gar cos thirim in aghaidh an lae féin."

Ní raibh níos mó de. Bhuail na fir béal na gcliabh ar an ghaineamh, shuigh orthu agus a gcúl sa ghaoith gur tharraing orthu a bpíopaí agus gur dhearg iad. Chrom na mná ar scáth na bhfear ag seiftiú cé bith foscaidh a bhí le fáil acu. Chuir an tseanbhean a lámh ina hochras, thug amach bocsa an tsnaoisín, agus rinne cineál ar na mnáibh óga.

"Amharc," arsa bean de na cailíní, "mar tá an gaineamh ag imeacht ó chúl an mhéile mhóir. Is gairid a bheas méile ar bith fágtha ann."

"Is fíor duit, a Mháire," arsa Séamus. "Tá cuimhne agamsa, agus ní dubhchuimhne ar bith sin domh, nuair a bhí loch mhór uisce soir anseo agus méilte gainimh amach uaithi leathbhealaigh chun na Creige Móire. Anois tá'n t-iomlán faoi bháthadh ag an fharraige."

"Is cuimhneach linn uilig an loch sin," arsa Antoin, "agus b'iomaí cliabh trom leathaigh a bhordáil muid amach as béal na toinne i gcúl na creige móire go cúl na méilte céanna sin."

"Níl a fhios agam," arsa an cailín eile, "cá ndeachaidh an gaineamh uilig?"

"Char mhaith dhuit é a bheith de bhreithiúnas aithrí ort a chruinniú i gcionn a chéile," arsa an tríú fear ag bualadh béal a phíopa ar bhois a láimhe, "nó b'fhada go bhfeicfeá gnúis Dé, a níon ó."

"Maise, ó fuair tú lúth na teangtha leat, a Phádraig Bhig," a deir an tseanbhean, "is leat féin a thiocfadh inse do Nóra is dúinn féin cá ndeachaidh sé."

"Ná cuir ar dhuine eile, a Mhaighréad Mhór, obair a thig leat féin a dhéanamh i bhfad níos fearr ná eisean," arsa Pádraig. "Bídh siad ag áireamh gurb iad na hógánaigh a bhíos ar a bplé leis corruair; ach creidim nach bhfuil ansin ach cainteanna daoine."

"Seo 'athair, ná stad!" a d'agair an níon é. "Thógfadh scéal ár gcroíthe agus an mhaidin anróiteach atá ann. Déan deifre, nó beidh Mícheál Shéamuis agus an carr sa mhullach orainn."

"Sin sa tóin chugat é maise, agus ní ham scéalaíochta é. Teannaigí oraibh," agus d'éirigh Pádraig agus thóg a chliabh ina láimh.

Bhí Mícheál agus an carr chun tosaigh chucu, an capall ar bogshodar agus Mícheál ag iarraidh a chosa a choinneáil te ag damhsa ar urlár an charra. Tharraing sé srian nuair a tháinig sé fhad leo; sheas an capall; d'ardaigh na fir a gcuid cliabh. Chuaigh na mná isteach ar an charr agus na fir sna sálaibh acu. Ghread Mícheál an capall trasna fríd an uisce go dtí'n taobh eile, agus rinneadh dearmad de scéal Phádraig leis an deifre.

Nuair a bhí siad trasna fríd an deán, léim na fir agus na cailíní amach, shuigh an tseanbhean léithe, agus thug an t-iomlán a n-aghaidh ar an chreig a bhí in imeall an tsáile tuairim leathmhíle trasna na trágha. Ní raibh siad baol ar leathbealaigh trasna nuair a tháinig cith géar cloch shneachta orthu agus gan de fhoscadh ná de bhriseadh gaoithe acu ach an blár dealbhtha. Ní raibh athrach le déanamh acu ach seasamh ansin agus a gcúl a chur ann, nó bhí na clocha sneachta comh géar sin agus nárbh fhéidir siúl ina n-éadan. Go fiú an capall nár thiontaigh thart gur chuir a thóin ann, d'ainneoin Mícheál a bheith á bhroslú chun tosaigh. Ní raibh maith ann.

"Cha bhíonn mórán pléisiúir ar Charraig Bolg inniu, a mháthair," arsa Mícheál.

"Ní bheidh. Tá sé róluath sa bhliain le mórán sógha a bheith i dtráigh feamnaí," ar sise. "Fad ó shin ní bhaintí í go rabharta na Bealtaine agus charbh fhearr linn ag gabháil chun bainise ná na cúpla lá a bhíodh againn sa tráigh." Tháinig na laethe aoibhne sin i gcionn Mhícheáil. Bhíodh sé féin agus páistí an bhaile ag feitheamh leo a theacht go cruaidh, agus níorbh fhearr leo bó bhainne ná an tráigh ann Dé Sathairn. B'iomaí sin garaíocht a ghníthí do mháithreacha ach fáil isteach chun na Creige Móire. Bhíodh siad scaifte ann – scaifte nár chuidiú ná tarrtháil iad d'aon duine dá raibh ansin, ach a bhí ann ar thóir grinn agus cuideachta. Líontaí bascáid an bhídh de ruacain agus de bhairnigh agus – cogar! nár mhilis blasta an ceapaire aráin is ime dá ithe ar mhullach na Creige Móire thíos sa tráigh le taoibh mar bhíodh an ceapaire céanna chois na tineadh sa bhaile. Bhíodh siad ag rúscáil fríd sháile bhog, ag rith trasna na trágha le marcaíocht a fháil ar ais, ag bobaireacht ar na seandaoine confacha, agus ag cloí a n-óige ar gach modh dá spreagfadh iad. Go raibh slán don óige! Bhí a chuid d'ualach an tsaoil ag luí ar Mhícheál anois – ag teacht roimh a am, b'fhéidir – nó bhí sé ar thús an teaghlaigh.

"Nach mór an deifre 'bhíos léithe anois," arsa Mícheál, "chead is gan fanacht tamall léithe mar ba ghnách?"

"D'imigh an t-am a bhféadfaí sin a dhéanamh, a chroí," arsa an mháthair, "bheadh sí scuabtha suas an Gaoth leo ina gcuid bád leath an ama."

"Agus goidé'n ceart atá acusan ar chuid feamnaí an bhaile seo!"

"Tá: díth náire! Sin a bhfuil de cheart acu uirthi," arsa'n mháthair ag freagar na ceiste a chuir Mícheál. Lean sí léithe. "Nuair a rinne an sagart 'ac Pháidín socrú leis an tiarna, fágadh sin sa mhargadh: leas farraige, portach, agus innilt an chnoic a bheith le gach baile talaimh. Thit Inis Sionnaigh, an Chreag Mhór, agus Carraig Bolg leis an bhaile seo, agus ó nárbh fhiú na creagacha seo a rann ar an bhaile uilig gach bliain, rinneadh trí thrian ceithre bhó fichead den bhaile, agus titeann an Chreag Mhór agus Carraig Bolg le gach trian ar a sheal."

Shroich siad an chreag, tharraing Mícheál an capall ar scáth na creige, áit a raibh briseadh gaoithe, agus chaith sé greim fodair i gcliabh faoina chionn. Fuair an tseanbhean agus na cailíní óga a gcuid corrán agus thoisigh ag cur faobhair orthu ar chloich mhín a bhí leo fá choinne na hócáide. Tharraing Mícheál ar na fir a bhreathnú ar goidé a bhí ag gabháil.

Bhíodarsan gnoitheach ar roinnt na creige. Tógadh ruball den chreig agus rannadh 'na dhá cuid í idir Clann Uí Rabhartaigh agus Clann Uí Ghallchobhair. Chuaigh an mhuintir a bhí ag siúl leis an dá threibh sin i gcionn a chéile ansin gur rann siad a gcuid féin di de réir mar bhí talamh ag gach duine acu.

Ansin thoisigh an choimhlint ag baint na feamnaí. Bhí Séamus Mhícheáil agus a bhean, Maighréad, ar an taoibh dhealbhtha den chreig agus iad ag gearradh agus ag strócadh ar theann a ndíchill. Bhí bairnigh ar an chreig agus mar nárbh fhéidir na lámha a shábháil orthu bhí sruth fola as láimh na mná. Bhí Mícheál ag cruinniú na feamnaí a bhí bainte gur mheas sé lód a bheith aige agus ansin thug sé thart an carr agus thoisigh sé a líonadh na feamnaí isteach air.

"Seo, tá measaracht thuas agat," arsa Séamus, "beidh an chéad lód maslach go raibh lorg buailte amach agat. Tiomáin leat, agus caith ar bhun an talaimh os cionn mharc an láin mhara í."

Thiomáin Mícheál leis ag tarraingt amach ar na méilte. Bhí an tráigh bog trom agus b'éigean dó seasamh go minic le scíste agus anáil a thabhairt don chapall. Nuair a shroich sé an deán, chuaigh sé a mharcaíocht trasna an uisce. Ach amuigh ina lár sheas an capall, chuaigh na rothaí i bhfostú sa ghaineamh slugaidh agus ní raibh aige le déanamh ach léimint amach go dtí na ghlúine le cuidiú amach leis an chapall. Bhí an buille fada, righin; ach le uthairt mhóir bhain siad amach an taobh eile den deán. Bhí Mícheál fliuch síos óna ghlúinibh anois agus an t-uisce ag brúchtaigh amach ar bhéal na mbróg, ach shiúil sé leis ag cionn an chapaill gur dhoirt sé an lód ag bun an talaimh, tuairim míle ar shiúl, mar a hiarradh air. Phill sé ar sodar trasna na trágha ar ais agus bhí lód eile bainte réidh fána choinne. Bhí lorg buailte sa ghaineamh anois agus ní raibh oiread masla ar an chapall, ach nuair a tháinig sé fhad leis an deán, shiúil an buachaill trasna fríd an uisce agus greim cinn aige ar an bheithíoch.

Mhair an obair seo ar feadh chúpla uair gur thoisigh an lán mara a líonadh ar an chreig. Bhí an-deifre anois ar an mhuintir nach raibh carr acu leis an fheamnach a chur amach agus iad ag bordáil an méid a bhí bainte acu ar mhullach na creige, an áit nach n-éireochadh an lán mara air. Bhí an deifre mór agus an fheamnach sleamhain faoi na cosa, agus siúd Nóra Phádraig, bean den bheirt a bhí ar an charr le Mícheál ar maidin, siúd í féin agus a cliabh amach ar shlait chúl a cinn ins an chainéal a bhí le hais na creige. Bhí doimhne mhaith ins an pholl agus cúlshruth ann ag an chreig; ach tháinig de thaisme ar Mhícheál a bheith ag líonadh a lóid de chóir baile ins an am, agus níor fhan sé le hamharc goidé a bhí ann ach léimint sa pholl agus í a streachailt amach comh maith agus a tháinig leis. Níor mheasa di a tomadh, ach ní raibh leadhb chraicinn ar a loirgin, ó ghlúin go cionn na coise, nach raibh stróctha di. Bhain sí di an haincearsan a bhí fána cionn, chas ar a loirgin é agus chuaigh sí féin agus Mícheál i gcionn a ngnoithe ar ais, fliuch báite mar bhí siad, gan a fhios ag aon duine ar an chreig ach acu féin, fán tubaiste a bhain don chailín óg.

II

Chuir an líonadh an tóir ar lucht na trágha i dtráthaibh an dó a chlog, agus bhain siad an baile amach. Nuair a shroich Mícheál an baile, chuidigh a athair leis an capall a scaoileadh as an charr agus an úim a bhaint de. Tugadh tubán coirce don chapall agus cuireadh cochán faoina chionn. Ansin tharraing Mícheál ar an teach, agus chuir a chúl leis an tinidh fhad agus bhí a dhinnéar á dhéanamh réidh. Bhí ceo gala ag éirí as a cheirteach, nó níor athraigh sé snáithe dá raibh ar a dhroim ó mhaidin.

Bheir an tráigh a ghoile do dhuine, agus ní bhfuair Mícheál lá loicht ar an mhéis phrátaí nó ar an scadán ghoirt rósta ar an mhaide bhriste a fágadh idir é féin agus a athair ar an tábla. Shnáith siad an scadán leis na prátaí, agus nigh siad siar an dá chuid le bolgam uisce anois agus ar ais fhad agus bhí siad ag ithe. Chuala Mícheál forrán dá chur taobh amuigh, agus ar dhearcadh fríd an fhuinneoig dó tchí sé máistir na scoile agus Eoghan Nualann, fear a chaith seal fada blianta i Meiriceá agus a bhí ag caitheamh deireadh a shaoil sa bhaile in Éirinn go sócúlach seascair. Bhí an bheirt ag gabháil chun comhráidh le chéile. Ní go maith a thuig Mícheál an chaint a bhí ar siúl acu, nó ag comhrá i mBéarla chruaidh a bhí an bheirt agus gnoithe pholaitíocht na Sasana a bhí idir chamáin acu. Ba deacair a rá cé acu ab fhearr a raibh culaith éadaigh air. Dhearc Mícheál síos ar na cifleogaí fliucha a bhí greamaithe dona chraiceann féin. Bhí cóta mór d'éadach throm ghorm ar Eoghan, ach bhí sí scaoilte agus í caite siar óna bhrollach. D'fhág sin slabhra mór óir a bhí trasna ar a ucht le feiceáil comh maith leis an fháinne leathan den ór bhuí a bhí ar mhéir na láimhe a raibh a bhata ar iompar leis ann. Bhí hata cruinn cruaidh air, coiléar agus bónaí geala agus péire bróg a chuirfeadh éad ar chailín tí mhóir. Bhí hata an mháistir bog; scáth fearthanna a bhí in ionad bata ina láimh; agus ní raibh barr comh géar amach ar a chuid bróg, ná leathar comh haclaí bog iontu. Bhí an bheirt go neamhbhuartha, neamhthuirseach den lá, seascair in éide agus cothaithe ina ngné.

"Glóir agus moladh agus buíochas do Dhia!" arsa Séamus ag glanadh a bhéil agus ag tarraingt air a phíopa. "'Mhícheáil, creidim go gcaithfidh tusa an fheamnach sin a chur aníos ar an chuibhreann chaol úd thíos agus í a spréadh ar na hiomaireacha. Caithfidh mise 'ghabháil agus cúpla lód mónadh a chaitheamh anuas d'Antoin Óg, nó sílim go bhfuil deireadh dóite aige."

Níor dhúirt Mícheál ach "Bhal"; chuir sé a bhearád fána chionn, agus d'imigh leis ag tarraingt ar bhun an bhaile.

Líon sé cliabh den fheamnaigh, bheir sé air fá na camógaí, thóg ar chloich a bhí in aice leis é, agus chuir ar a ghualainn é. Shiúil sé leis ansin go dtí an cuibhreann caol, agus an fheamnach ag sileadh síos ar a chaoldroim. Má mhothaigh Mícheál é, níor ghoill sé air, nó bhí drandán ceoil leis agus é ag cur thairis go tréan. Tháinig as an lá agus ghlan an spéir ach bhí gaoth ghéar aduaidh ag séideadh ar fad.

Fá chionn tamaill, bhuail Mícheál béal an chléibh faoi agus shuigh air a dhéanamh a scíste. Stad an ceol agus bhí a cheann crom, mar bheadh ag duine a bheadh ag meabhrú agus ag machnamh go domhain. Mar sin a chonaic Síle Rua é agus í ag tabhairt bolgam tae agus giota aráin, tráthnóna beag, chuig an bhuachaill bó a bhí fostaithe acu agus a bhí i mbun an eallaigh ar an Oileán Bheag. Comharsa béal dorais do Mhícheál ab ea Síle Rua, agus bhí siad carthanach le chéile ariamh ó bhí siad ina naíonáin, amach agus isteach chuig a chéile, amuigh ar a chéile inniu agus mór le chéile amárach – ag caitheamh saoil a bheadh anróiteach ag an té nach mbeadh cleachtaithe leis ach a bhí sultmhar suáilceach go leor don té a tógadh leis. Bhí an dá thalamh sínte le chéile agus nuair a b'óige don phéire, b'iomaí lá buachailleachta a rinne siad i gcuideachta fá bhun an bhaile. Choimheádadh Síle na ba do Mhícheál fhad agus bhíodh sé amuigh ag snámh agus choimheádadh sí an cabhsa fosta ar eagla gurbh í Maighréad Mhór nó Séamus a thiocfadh gan mhothú agus a gheobhadh Mícheál ag déanamh an ruda a bhí crosta air. Ná tógtar é ar Shíle dá mbagradh sí inse ar Mhícheál corruair nuair a bhíodh an titim amach ann agus an bhruíon chainte ar siúl, nó níor scéith sí a rún ariamh. Ligeadh Mícheál Síle 'na bhaile tráthnóna lena cuid tae a dhéanamh, nó ní raibh aici ach í féin agus a hathair, agus thit cúram tí go luath uirthi.

Ag gabháil síos an cabhsa idir an dá thalamh a bhí sí anois agus bhí iontas a sáith uirthi goidé a bhí cearr le Mícheál, nó níor ghnách leis a bheith tugtha do scíste comh fada sin a dhéanamh, agus bhí sé ina shuí anois ó tháinig sí ar a amharc ag cúl Aird Éamoinn. Nuair a bhí sí fá chúpla scór slat do, thóg sé a cheann agus chonaic sé í. Agus chonaic sé sin, cailín scaoilte scailleagánta fionnrua, súile liathghorma aici, finne na ruaidhe ina craiceann agus meangadh gáire ar a béal anois. Ní móide go dtug Mícheál fá deara an méid sin, ach thug sé fá deara go raibh sí ceanntarnocht costarnocht, cé fuar an lá. Bhí a naprún dúblaithe fána coim, an áit a raibh ceirtlín snátha agus stocaí leathdhéanta a raibh na dealgáin sáite inti.

Rinne sí gáire agus í ag rá le Mícheál:

"Tá eagla orm gur ith tú barraíocht in am dinnéara nuair atá tú i do shuí ag déanamh scíste comh luath seo i ndiaidh a theacht amach."

"B'fhéidir," ar seisean, "nach é mo sháith a fuair mé le hithe ina áit sin."

"Ó, fuair tú'n rud a fuair muid uilig," ar sise. "Ach goidé faoin spéir atá ar d'intinn? Tá tú i do shuí ansin ó tháinig mé ar d'amharc ag Ard Éamoinn tá cúig bhomaite ó shin."

Níor labhair Mícheál go cionn tamaill.

"Bhal?" ar sise.

"Tá: níl an saol rannta cothrom," ar seisean.

Phléasc Síle leis na gáirí nó ní tháinig léithe rún a dhéanamh orthu níb fhaide. "Goidé 'chuir sin i do chionn?" ar sise, agus níor fhan sí le freagra Mhícheáil ach shiúil léithe go mullach ardáin a bhí ann gur scairt ar bhuachaill na mbó chuig a chuid tae.

Chuir Mícheál an cliabh ar a ghualainn ar ais agus chuaigh i gcionn a ghnoithe, ach ní raibh ceol ar bith le cluinstin anois agus é ag iompar na feamnaí.

Fhad agus bhí an giolla ag ól an tae, bhí Síle Rua gnoitheach lena cuid dealgán. Bhí an tsáil le tiontú aici ar an stocaí a bhí ina láimh aici agus ceann eile le déanamh ó bhun barr leis na trí dhuisín a bhí istigh aici a bheith críochnaithe. Bheadh an Satharn ann lá arna mhárach agus péire bróg de dhíth uirthi le haghaidh an Domhnaigh, agus ba mhaith léithe an t-iomlán críochnaithe aici an oíche sin dá mb'fhéidir é. Idir luach na stocaí agus an duisín uibheach a bhí cruinnithe aici, bheadh scilling nó dhó fágtha aici i ndiaidh tae agus siúcra na seachtaine a cheannacht. Sin a raibh de dhíobháil uirthi anois leis an dá scilling déag a bhí ar phéire bróg, a bhí i bhfuinneoig tigh Thomáis, a bheith aici.

Ach níor choinnigh a deifre í ó bheith ag machnamh ar an rud a dúirt Mícheál: nach raibh an saol rannta cothrom. Cá air a raibh sé ag smaointeadh ar chor ar bith, nó goidé 'chuir a leithéid siúd ina chionn, fear a raibh sé de chliú air gur chuma leis cá n-éireochadh nó cá luífeadh grian air? Chaithfeadh sí a ghabháil chun comhráidh ar ais leis. Bhí Mícheál ag doirteadh cléibh sa chuibhreann agus í ar a bealach 'na bhaile.

"'Bhfuil deis ar an tsaol agat?" ar sise nuair a tháinig sí comh fada leis.

"B'fhearr liom deis ar an fheamnaigh seo agam," arsa Mícheál. "Níl leadhb chraicinn ar mo dhroim ag an fheadhnóig chléibh seo agus tá mo léine comh fliuch agus dá dtarraingeofaí fríd an abhainn í."

"Sea," arsa Síle, "ach ar rann tú an saol cothrom go fóill?"

"Níor rannas. Ní thig a dhéanamh. Ach rud amháin – ní bheirfear ormsa anseo ag baint na feamnaí go cionn dhá lá go leith ar ais," arsa Mícheál.

"Agus cá bhfuil tú ag gabháil?" arsa Síle go magúil.

"Tá, tá mé ag imeacht go Meiriceá. Agus ná himigh thusa agus sin a scileadh fríd an bhaile anois."

"Tusa ag imeacht go Meiriceá!" agus ba dheacair a rá cé acu iontas, nó magadh nó fearg a bhí i nglór Shíle. "Agus rud eile de," ar sise, agus fearg uirthi dáiríribh, "'bhfuil mé comh tugtha sin do bheith ag scileadh rudaí fríd an bhaile?"

Mícheál a rinne gáire anois. "Níl, a Shíle, agus dá mbeifeá, ní chluinfeá ar chuala tú."

Bhí a fhios ag Mícheál go maith go dtiocfadh le Síle rún a choinneáil, agus dúirt sé ar dhúirt sé le í a chur ar a faichill.

Shiúil Síle léithe. Ar dhóigh inteacht, tháinig míshásamh intinne uirthi. Ní raibh oiread airde aici ar an stocaí a chríochnú ná ar phéire úr bróg a bheith aici fá choinne an Domhnaigh. Chuir sí ceist uirthi féin goidé ábhar a buartha, cad chuige nach raibh sí comh héadromchroíoch ag pilleadh abhaile agus bhí sí á fhágáil? Ní raibh a fhios aici. Goidé sin dithese dá n-imíodh Mícheál Shéamuis Mhícheáil go Meiriceá? Ní raibh a fhios aici. Ach ina dhiaidh sin nárbh uaigneach an baile gan é. Ba é an saol nach raibh rannta cothrom! Buachaillí breátha ag imeacht i mbéal a gcinn agus bodaigh, nach salóchadh a mbéal ag caint le daoine bochta, ag gabháil thart ina sáith den tsaol! Shiúil Síle Rua 'na bhaile gan oiread agus lúb eile a thógáil ar an stocaí.

III

"Grá mo chroí an óige,
Is í is cóir a bheith ann.
Ach na mná 'bhíos pósta
Bíonn an fhallaing fána gcionn.
Coigleann siad na fóide
Is ní ólann siad an leann."

Bhí an drandán ceoil ag tarraingt ar theach Antoin Óig agus lena dheireadh chuir an ceoltóir a cheann isteach ar an doras.

"'Mhícheáil mar agat atá do chroí," arsa Antoin agus é ina shuí ar cholbha na leapa. "Shílfeá nach bhfuair tú lá cruaidh sa tráigh ó mhaidin."

"Níl ach amaidí do dhuine bás 'fháil le linn lá oibre 'dhéanamh, 'bhfuil?" arsa Mícheál Shéamuis dá fhreagar.

"Níl, creidim nach bhfuil," arsa Antoin agus ní thug sé féin ná na cúpla seanduine eile a bhí istigh níos mó airde ar Mhícheál ná é orthu. Shuigh sé síos ag cionn an tábla an áit a raibh Máire ag déanamh suas léine gile a hathara. D'amharc sé ar an chailín óg ach níor lig sise uirthi é a bheith ann.

"Goidé'n mífhortún atá anois ort?" ar seisean.

Chuir Máire smut uirthi gan oiread agus freagar a thabhairt air.

Bhí Máire ar chailíní ainmnithe an phobail ach char mhór le Mícheál ná bhainfeadh sé a míthapa aisti; nó smaointigh sé gurbh é an cliabh feamnaí a dhoirt sé uirthi ar maidin agus an deifre ann ba chiontaí leis an stuaic a bhí uirthi.

"'Ghadaí míofar na smug," ar seisean. "Tá tú dona go leor i gcónaí; ach dá bhfeicfeá an ghnúis atá anois ort, ní chuirfeá smut mar sin ort a choíche ar ais."

Ní raibh maith ann. "Antoin," ar seisean, "nach breá an stócach Séamus Eoin Mháire." Bhí ainm Mháire agus Shéamuis luaite le chéile ag an aos óg ach ní raibh a fhios ag na seandaoine dadaidh fá ghnoithe na hóige. Las Máire comh dearg le fuil leis an chotadh a tháinig uirthi os coinne a hathara agus a máthara agus bhí a fhios aici go maith gur chuma le Mícheál goidé a déarfadh sé ina dhiaidh sin.

"Ba dual dó sin a bheith ina stócach bhreá dá leanfadh sé an mhuintir a tháinig roimhe," arsa Antoin.

"Ó, b'fhéidir nach sílfeá an oiread sin de nuair a thiocfas sé a dh'iarraidh crudh do Mháire ort," arsa Mícheál.

Níor labhair Antoin nó thuig sé anois agallaidh Mhícheáil. Ach níor fhan Máire le níos mó. Thug sí amharc amháin ar Mhícheál agus bhain sí an doras amach. Chuaigh Mícheál amach ina diaidh ag déanamh go bhfuair sé an bhuaidh. Ach b'fhada dó é, nó ní labharfadh Máire leis. Nuair nach labharfadh thóg sé í idir a dhá láimh, agus d'ainneoin go ndearn sí a dícheall le fáil réitithe uaidh, níor stad sé gur fhág sé ina suí istigh i dtigh Eoin Mháire í le taoibh na seanmhná.

"Sin agat bean Shéamuis," arsa seisean agus amach an doras leis gan dearmad a dhéanamh é a tharraingt ina dhiaidh agus a choinneáil taobh amuigh. Shíl Máire bhocht go bhfuigheadh sí bás leis an náire sular lig sé amach í. Nuair a fuair sí a hanáil léithe, ní thiocfadh léithe a rá ach; "Arú, Mhícheáil Shéamuis! Arú Mhícheáil, tá mé náirithe agat."

"Nach raibh a fhios agam go mbainfinn caint asat?" arsa Mícheál agus a thaobhanna á scoilteadh leis na gáirí.

Agus ansin shiúil siad leo ag tarraingt ar theach Bhríd

Pheigí ach oiread agus nach raibh aon titim amach eatarthu ariamh. Baintreach a bhí i mBríd agus chruinníodh cuid mhór den aos óg chuici san oíche. Bhí boglán tí de dhaoine istigh agus de réir chosúlachta bhí Bríd tógtha acu.

"Bhríd," a bhí Conall Néill a rá léithe, "'raibh tú ariamh i Meiriceá?"

"Chonaill," arsa Bríd, "'raibh tú ariamh in Ifreann?"

"Ní raibh," arsa Conall.

"Bhal, sin an talamh agat, a mhic ó," arsa Bríd.

Bhí an oíche fliuch agus bhí deora anuas thall agus abhus fríd an teach. Dúirt duine inteacht gur chóir daofa cruinniú agus tuí a chur ar an teach do Bhríd. Moladh leis agus socradh a ghabháil i gcionn na hoibre tráthnóna lá arna mhárach dá mbíodh lá maith ann. Bhí, agus cuireadh tuí ar theach Bhríde nár lig oiread agus aon deoir fríd go bliain ón am sin ar ais.

"Nach a' mhaithe linn féin a rinne muid é," arsa buachaill acu nuair a bhí siad ag glanadh suas i ndiaidh na hoibre agus Bríd ag guí na mbeannacht orthu as a ndearn siad.

Ach níorbh é sin amháin a ndéanadh aos óg an bhaile don bhaintrigh. Ghníthí an barr a ghiollacht di; bhaintí agus thógtaí an mhóin di, agus dá mbíodh siad ag bobaireacht uirthi in amanna féin, "Nach gcaithfidh na créatúir a bheith beo," a deireadh sí; "Agus leoga féin, bheadh an t-anás agus an t-ocras go minic ar Bhríd munab ea iad – bheadh sin." Fiche uair ó sin go ham luí dhamnaigh sí an t-aos óg céanna go leacacha Ifrinn.

IV

Bhí an Fhéile Eoin ar an tsúil acu, agus bhí coimhlint mhór idir an t-aos óg – cé acu baile ab fhearr agus ba mhó a mbeadh tine ann. Bhí siad gnoitheach ag cuartú agus ag cruinniú smután agus á gcur i bhfolach fá choinne na hoíche. Agus níor choir leo gadaíocht a dhéanamh ó chnuasach na mbailteach eile. Má bhí a dhath ann, b'é sin an chuid ab fhearr den chuideachta uilig, ag cur a gcuid féin i bhfolach agus ag cur lorg ar chuid na mbailteach eile.

Tháinig an oíche sa deireadh agus nuair a bhí sé ag toiseacht a ghabháil ó sholas, chruinnigh na buachaillí a gcuid smután go mullach an chnoic ab airde ar an bhaile. Bhí tinte ag bléascadh in airde anseo agus ansiúd ó Chnoc Fola go hÁrainn, ach nuair a lasadh tine Mhín na nGág fuair sí buaidh ar an iomlán le méid agus le neart a solais. Shuigh muintir an bhaile thart taobh na gaoithe di ag scéalaíocht agus ag caint ar an tsean-am. Má caitheadh corrdhartán anois agus ar ais féin, níor gortaíodh aon duine agus glacadh ina chuideachta é.

Tine Chnoc an Stollaire an tine ba mhó i ndiaidh Mhín na nGág, agus tugadh fá deara gur thoisigh sí a chailleadh go mór agus go raibh sí chóir a bheith as. Ach ar ball beag nuair a phléasc sí amach sa spéir ar an tinidh ba bhreátha ar amharc, thuig muintir Mhín na nGág goidé a tharla. Tuilleadh giúis a cuireadh uirthi. Ní rachadh leo, agus d'imigh buachaillí a chuartú adhmaid. Níor mhiste leo cén claí ar bhain siad as é agus tháinig cúpla scaifte acu agus ualach mór de smutáin ar iompar leo. Bhí gleo agus callán an tsaoil acu, gach duine ag tabhairt ordaíocha don mhuintir eile siúd agus seo a dhéanamh. Bhí seanduine confach de sheanduine dhíomhaoin ann agus d'éirigh sé rompu gur bhreathnaigh gach smután dá raibh leo, sula ligfeadh sé a chur ar an tinidh. "Liomsa sin," a deireadh sé, agus chaithfí an ghrág a ligean chun talaimh go bhfeicfeadh sé arbh leis í. Bhí an bhuaidh le Mín na nGág ar ais ach ba chosúil nach raibh siad sásta go fóill. D'imigh baicle eile acu agus i gcionn tamaill bhig mothaíodh ag pilleadh iad agus ualach iontach trom leo. Bhí siad cruinnithe go dlúith fá dtaobh de agus gan focal acu ach cogarnach. Bhí siad sa dorchadas go fóill nuair a sciuird mo sheanduine amhrasach amach rompu agus a dúirt, "Liomsa sin." Ar an bhomaite, leagadar síos an t-ualach ar sholas na tineadh agus os cionn na ngáirí cluineadh Mícheál Shéamuis a rá leis, "Sin agat, agus tóg leat é agus cé shamhlóchadh duit é." Conall Néill a bhí ar iompar leo in áit smutáin. Chuir an cleas an seanduine confach ina thost ó sin go maidin agus go minic go cionn bliana ina dhiaidh.

Ar an mheán oíche cuireadh ceann ar an phaidrín agus dúradh comh dúthrachtach agus comh céillí agus chluinfeá i dtigh faire é. I ndiaidh an phaidrín bhain na seandaoine an baile amach ach shuigh an dream óg ag an tinidh. Le huair bhíthear ag éisteacht leis na píobaí. Tomás Dhonnchaidh a bhí ar an leic os cionn a thí, míle talaimh ar shiúl. Comh luath agus a d'éirigh an chéad scread ar aer chiúin na hoíche thit a dtost ar an scaifte challánach sin. Ba léir i láthair na huaire sin gur chuir an seanduine uaidh gruaim agus anró an tsaoil, nó chuir gealgháire na bpíob aoibhneas agus greann in iúl dá lucht éisteachta. Cuireadh chun coirme, gleo an fhéasta, an corn ó láimh go láimh, sláintí dá n-ól, comhrá séimh agus an saol mór ar sult – bhí sin uilig go léir i bport an phíobaire. Tháinig casadh ann, agus mothaíodh glór na bhfian, gáir na conairte agus rúide na heilite maoile. Casadh eile, agus d'éirigh glórtha maíte fear, tuaim na mbéimeann tréan, sleagha, agus claimhte, osnaí géara, agus ina dhiaidh sin maíomh na buaidhe is moladh curaidh. Casadh eile, agus d'éirigh olagón géar, an chreach dá roinnt, agus glórtha caointeacha ban agus páistí. Thost an píobaire ansin, ach níorbh fhada a thost. Bhí na boilg ar obair ar ais agus "Rince na Sióg, oíche ghealaí" ag déanamh macalla ins na beanna. Thóg na buachaillí na cailíní, agus thoisigh an damhsa ar an léana ghlas ag taoibh na tineadh. Agus sheinn an píobaire agus dhamhsaigh aos óg na mbailteach, muintir gach baile ag a dtinidh féin, go bhfacthas an spéir ag breacadh agus ag deargadh os cionn Mhín an Iolair. Nuair a chuala an dream óg Rosc Catha Thír Chonaill ag éirí ar an ghaoith, bhí a fhios acu go raibh deireadh acu, agus tugadh cúl ar thine Fhéile Eoin go cionn bliana eile.

V

Nuair a bhí Síle Rua ag tarraingt ar a tigh féin, chonaic sí Mícheál ina sheasamh leis féin ag cruach na mónadh ag amharc suas ar ais ar an tinidh a bhí ar an ard os a chionn.

"'Shíle," ar seisean, "níl 'fhios agam an bhfeicfidh mé tine Fhéil' Eoin in Éirinn a choíche ar ais?" Dhéanfadh Síle a seangháire faoi ach bhí cumhaidh ina ghlór a chros uirthi a leithéid a dhéanamh.

"Agus goidé 'bheadh ort gan a feiceáil?" arsa sise d'ainneoin go raibh a fhios aici go maith goidé a bhí ar a intinn.

"Tá," ar seisean go cumhaidhiúil; "nuair a bheas sibhse cruinn fán tinidh ar an ard sin, bliain ón oíche anocht, beidh mise i lúb na gcoimhthíoch na mílte míle ar shiúl."

"Maise, beidh agus gach aon ruḋ! Tá'n soitheach a bhéarfas anonn thú le déanamh go fóill, a Mhícheáil."

"Níl, a Shíle. Oíche Fhéil' Eoin seo chugainn, beidh mise thall úd ar thóin Mheiriceá, slán beo a bheas mé, agus beidh sibhse ag éisteacht leis na píobaí – go raibh fad saoil don phíobaire! – agus ag rince agus ag déanamh cuideachta thart fán tinidh a bheas ar an ard seo thuas. Beidh mise ag smaointeadh ar an tinidh agus oraibhse; ach an smaointeochaidh aon duine agaibhse ormsa nó ar an chleas a bhuail mé ar Aodh Sheáin anocht?"

"Agus má tá leithéid de chumhaidh ort cheana féin goidé tá 'do thabhairt ar shiúl, más rud go bhfuil rún agat imeacht ar chor ar bith?"

"Goidé tá le fáil anseo ag duine?"

"Tá'n rud agat atá ag gach duine eile," arsa Síle, "agus nach minic a chuala tú gur glas na cnoic i bhfad uainn, ach cé glas nach féarmhar."

"Ó sea," ar seisean, "cainteanna seandaoine nár fhág an baile ariamh! Ach cuir i gcás go bhfuil fraoch garbh ar na cnoic i gcéin féin, an mór an sógh tá i gcois cladaigh anseo ag strácáil le leas farraige inniu, amárach ag coraíocht le péirí fód i bpoll mónadh agus b'fhéidir uisce go dtí na hioscaidí ort? Do shoc sáite in obair chruaidh ó sheachtain go seachtain agus gan de luach a shaothair ag éirí do dhuine as ach an greim a chuireas sé ina bhéal agus na bratógaí beaga éadaigh 'chuireas sé ar a dhroim. Ní saol ná dóigh ar bith ag duine é."

"A Mhícheáil, níl cleachtadh againn ar athrach de dhóigh, agus tá muid sásta léithe."

"Labhair ar do shon féin, a Shíle, má tá tusa sásta leis an dóigh sin, níl mise. Tógfaidh mé an choigríoch orm féin, an áit a mbeidh tuarastal ag éirí do dhuine as a chuid oibre ag deireadh seachtaine. Ní hamháin go mbeidh mé ábalta rud inteacht a chur i gcionn a chéile domh féin in éadan na coise tinne, ach beidh mé in ann cuidiú leis an tseanphéire atá ag gearradh a saoil á maslú agus á marú féin leis an screabán talaimh atá acu."

"B'fhéidir gur mhaith an screabán ann i ndeireadh na dála. Tchímid ag pilleadh as Meiriceá iad agus mórtas go leor iontu agus is furast a sásamh sa tír seo sa deireadh. Go díreach, amharc thart ar na háiteacha ar shuigh siad iontu sula n-imíodh siad ar ais," arsa Síle. "Ach sin an lá geal ann, agus sinne inár seasamh anseo inár dhá n-amadán ag caint mar seo."

Thug gach duine acu aghaidh ar a bhaile féin agus bhain an leabaidh amach, ach má leag siad ceann faofa féin char dhruid ceachtar acu súil go maidin. Ó sin, gur ghlan an lá geal, shiúil Mícheál na réigiúin. Chonaic sé iontais ina shiúl, agus b'iomaí sin gábhadh a dtáinig sé slán as; ach mhéadaigh a mhaoin agus a stór ó lá go lá gur bhuail sé tír in Éirinn iathghlais, slán sábháilte agus a sháith leis. Ba ar an philleadh seo a ba taitneamhaí leis a bheith ag smaointeadh.

Níor chuir sé scéala ná tuairisc roimhe, ach oíche amháin, stad an carr ag teach Shéamuis Mhícheáil agus shiúil buachaill scafánta, éadaithe in éadach ghorm agus slabhra óir ar a bhrollach, isteach chun tí. Bhí a athair agus a mháthair ina suí ar dhá thaoibh na tineadh ag comhrá fá dtaobh de féin; bhí Máire ag timireacht fán teach agus bhí Antoin ag léamh leabhair ag cionn an tábla. Baineadh stad as a raibh istigh nuair a chuir sé a cheann isteach ar an doras. Tháinig eagla in aghaidh a mháthara agus ansin las lúcháir mhór in áit na heagla nuair a thuig sí dáiríribh gurbh é féin agus nárbh é a thaibhse a bhí ann. Bhí sí ina seasamh ar an bhomaite ag gabháil chun dorais ina araicis agus a dhá láimh á gcuimilt ina naprún aici ar a coiscéim.

"Céad fáilte romhat, a mhic mhuirnigh mo chléibh," a bhí sí ag rá agus í á fháisceadh lena croí, agus á phógadh go díocrach. "Céad fáilte romhat, a chuid den tsaol!" agus na deora síos léithe as ucht a lúcháire.

"Tig gach duine lena iomrá ach an marbhán," a bhí a athair ag rá. "Bhí muid go díreach ag caint ort." Níor phóg sé é, agus níor fháisc sé lena chroí é, ach chuir an fáisceadh a thug sé dá láimh in iúl don mhac an lúcháir a bhí ar an athair é a fheiceáil slán faoina dhíon féin ar ais. Tháinig Máire go cúthalta agus chroith lámh leis gan focal a rá. Shuigh Antoin ag cionn an tábla gan bogadh.

"Gabh anall anseo," a dúirt a mháthair leis, "agus croith lámh le Mícheál atá i ndiaidh a theacht as Meiriceá." Rinne Antoin mar hiarradh air agus leis an driopás a bhí fríd an teach, ní thug siad fá deara an gíománach ag tabhairt isteach na mbocsaí agus na gcótaí mór.

Agus ansin na comharsanaí! Sula raibh fear an charra díolta agus imithe, bhí siad ina rith isteach, na seandaoine ar tús ag fearadh fáilte agus ag croitheadh lámh. Anonn go ham luí agus i bhfad ina dhiaidh, bhí siad ag teacht agus ag suí thart ag comhrá ar an am agus ar an mhuintir a bhí ar shiúl.

Chonaic Mícheál seo uilig go soiléir agus chonaic sé fosta teach breá úr sclátaí á thógáil le hais an tseantí. Ní raibh feidhm dá athair ná dá mháthair a bheith ag sclábhaíocht á marú féin feasta mar bhíodh. Chuala sé na comharsanaí á mhaíomh air comh geal agus a d'éirigh an saol leis. Bhí ógmhná an phobail ag cur cor bealaigh orthu féin lena gcastáil dó. Níor chuir Mícheál suim ná sonrú in aon duine acu gur casadh air í, maidin ghrianmhar shamhraidh, an cailín caoin, nach bhfaca a shúile cinn ariamh go dtí sin ach a raibh a cosúlacht ina shúilibh agus a bhí i ndán dó ó thús an tsaoil. Bhí a pearsa cumtha agus gan í rómhór, súile gáireacha liathghorma ag rince faoi éadan mhíonla bhán, a gruaidh mar rós, mar chaor a béal agus a folt dualach fionnbhán ag soilsiú fá ghréin na maidne. Tháinig aithne, grá, agus ceangal an phósta eatarthu agus ansin chonaic sé saol séanmhar, sócúlach ag síneadh síos ó sin 'na huaighe. Saol na hóige am an dóchais!

Leag Síle ceann fúithi nár chodlaigh néal ach oiread. Bhí an ceart ag Mícheál, dar léithe féin nuair a smaointigh sí ar an rud a dúirt sé. Ní raibh le fáil i nGaoth Dobhair ach anás agus anró agus masla ó chionn go cionn na bliana agus gan dá bharr ach an bhochtaineacht, bláth na hóige ag imeacht sula bhfuigheadh duine a chúlfhiacla; gruaig bhuí breacaithe le ribeacha liatha; roic ag déanamh iomaireacha ina éadan, nimh na gaoithe Márta ag baint na gnaoi as dreach na hóige; guailneacha cromtha faoi ualacha troma; gan i ndán do chailín óg, b'fhéidir, ach a saol a chaitheamh ag freastal d'fhear nach raibh aige le bronnadh uirthi ach anás, ocras agus anró go deireadh a ré!

Sea, thógfadh sise fosta an choigríoch uirthi. D'fhágfadh sí slán ag an sclábhaíocht. Tchífeadh agus bhlaisfeadh sí aoibhneas an tsaoil mhóir. Ní chaithfeadh sí an dara samhradh i Machaire Chlochair. Leis sin go díreach, mhothaigh sí glór beag bídeach istigh ina croí. An seanduine bocht, goidé a d'éireochadh dó! Cé chuideochadh leis an barr a chur agus a bhaint? Cé a nífeadh baill bheaga éadaigh dó? Cé a chuirfeadh deis ar a chifleogaí beaga nuair a bheadh feidhm leis? Cé a dhéanfadh friothálamh dó ina thinneas, a dhruidfeadh a shúile nuair a ghoirfeadh Dia air, a shilfeadh deoir ar a uaigh, agus a aon duine clainne ar a sáimhín suilt ar fud an tsaoil? An ndéarfadh sé, nuair a chasfaí a máthair air i ríocht Dé – an mháthair sin nár chuimhin léithe go bhfaca sí ariamh í – gur mhairg dó a thóg níon, gur mhairg a ghráigh gach dlaoi dá gruaig bhuí, a chaill a chodladh oíche agus a shuaimhneas intinne á hoiliúint fá choinne í imeacht léithe agus eisean a thréigbheáil nuair a tháinig ann di agus ba mhó a bhí sí ag teastáil uaidh.

Shil Síle deora géara goirte. B'fhéidir gur doilíos croí a bhí uirthi go smaointeochadh sí ina cionn ar a hathair dil d'fhágáil. B'fhéidir gur á caoineadh féin agus an chinniúint chruaidh a chros a cuid d'aoibhneas an tsaoil seo uirthi a bhí sí. I gcoim na hoíche dorcha nuair a shíltear duine a bheith i suan, ní hannamh a chuid fabhraí báite agus a ghruaidh fliuch.

VI

Bhí Mícheál muscailte nuair a chuir a mháthair a ceann suas ar dhoras an tseomra an mhaidin i ndiaidh Oíche Fhéil' Eoin. "Hóigh, 'Mhícheáil!" arsa sise. "Tá d'athair ag cur na húma ar an bheithíoch ag imeacht 'na phortaigh. Éirigh go gasta!"

"Maith go leor," arsa Mícheál agus amach leis de léim ar an urlár. Nuair a tharraing sé air a bhrístí agus cheangail sé a bhróga, chuaigh sé ar a ghlúinibh ag colbha na leapa gur dhúirt sé na paidreacha a d'fhoghlaim sé ag glúin a mháthara agus nár dhearmad sé ariamh a rá, ag luí nó ag éirí dó, ó d'fhág an mháthair an cúram sin air féin. Nuair a ghabh sé a bhuíochais lena Shlánaitheoir a thug slán ó oíche é, agus chuir é féin faoi choimirce na Maighdeana Beannaithe ar feadh an lae a bhí roimhe, thug sé iarraidh chun na cisteanadh, thug leis scála uisce, agus nigh é féin taobh amuigh den doras. Nuair a phill sé chun tí, bhí a bhricfeasta ar an tábla ag a mháthair agus bhí a dheirfiúr bheag, Máire, ag ithe a codach féin i gcois na tineadh. Babhal tae, arán plúir agus im a chaitheadh Mícheál agus a athair mar chéadphroinn. Ach mar bhí lá cruaidh oibre rompu an lá seo, fuair gach duine acu dhá ubh lena chois sin. Bhí Máire ag gabháil 'na phortaigh fosta ach ní raibh ubh ar bith leagtha amach dithese. Ní raibh sí ach ag gabháil a líonadh mónadh agus ní bheadh sí maslaithe mar na fir a bheadh faoi na cléibh. Shín Mícheál ubh dá chuid féin chuig Máire agus b'é an nuaíocht aici é!

"Leoga," deir an mháthair, "dá mbíodh 'fhios agamsa gur mar sin a dhéanfá, gheobhainn úsáid eile don ubh sin."

"Beirt a ba cheart duit a bheith bruite dithe féin agat ina áit sin," arsa Mícheál. "Nach bhfuil obair an lae roimpi comh maith le duine eile?"

"'Brath a bás a thabhairt le dhá ubh? Níl 'fhios agam nach bhfuil i bhfad barraíocht aici sa chionn amháin," arsa'n mháthair. "Tig libh na droimeanna a thógáil go ham dinnéara agus beidh sí ábalta na cléibh a thógáil oraibh ó dhroim na mbachtaí. Beidh mise suas comh luath agus 'thig liom leis an dinnéar agus cuideochaidh mé libh na hurláir a thógáil."

Bhain Mícheál an ceann den dara hubh, d'ith cúpla spanóg aisti agus thug an méid a bhí fágtha do mhurdán beag gasúra a raibh ceann catach rua air a bhí i ndiaidh éirí amach as leabaidh na cisteanadh agus a bhí ina sheasamh os cionn na tineadh ina léine. Ní raibh sé muscailte i gceart go fóill nó bhí sé ina shuí ní ba mhoille ná ba ghnách leis ag an tinidh aréir roimhe sin, agus bhí sé ina sheasamh ansin agus é ag cuimilt a chuid súl lena dhá chráig bheaga dhubha.

"Seo, 'Antoin!" a dúirt Mícheál leis. "Croith suas tú féin go raibh tú linn 'na phortaigh."

Bheir Antoin ar an ubh agus, le sin, baineadh síneadh as a dhá sciathán agus croitheadh as a chorp bheag agus as a chéile mhuscail sé dáiríribh. Bhuail sé faoi ar an urlár mar bhí sé, agus gan focal a labhairt, chuaigh sé i gcionn na huibhe. Nuair a bhí sé réidh léithe, ní bhfuigheadh seangán greim inti, bhí sí comh scríobtha sin aige. D'amharc sé isteach inti ar ais agus scríob sé an blaosc cúpla uair eile agus ansin labhair sé:

"'Bhfuil mé ag gabháil 'na phortaigh libh, a mháthair?"

"Tá cinnte," arsa Mícheál. "Ar ndóigh muna dté, caithfear an doras a dhruid ort agus tú féin agus an cat 'fhágáil istigh libh féin."

Chuir Antoin pus air féin ach bhagair an mháthair ar

Mhícheál. "An fá choinne an tachrán a chur a chaoineadh atá tú? Ní bheidh tú istigh leat féin, a thaisce. Beidh mise agat agus rachaidh tú soir chuig Síle Rua nuair a bheas mise ar shiúl leis an dinnéar."

Ní dheachaidh Antoin a chaoineadh agus thug Mícheál iarraidh eile air.

"'Antoin bhoicht!" ar seisean. "Níl siad ag brath a ligean duit éirí i d'fhear a choíche. Gasúr mór cosúil leatsa ag gabháil thart le girseachaí agus gan air ach cótaí!"

Ní raibh cótaí féin anois air, agus b'fhada é ag tnúth lena brístí; agus bhíodh obair ag an mháthair baint faoi go minic. Bhí fearg ag teacht uirthi le Mícheál anois ag cur rudaí i gcionn Antoin agus deifre uirthi.

"Seo! Seo! Amach as seo leat má tá tú réidh, agus muna bhfuil níos fearr le cur i gcrích agat ná a mhíthapa a bhaint as a' pháiste."

Leis sin tháinig an t-athair isteach. "Ar éirigh tú, 'Antoin?" ar seisean.

"D'éirigh," arsa Mícheál, "tá sé ag gabháil linn 'na phortaigh."

"A Mhícheáil, a deirim leat!" arsa'n mháthair.

"Seo bhal," arsa'n t-athair, "sin ag tarraingt ar an seacht a chlog é, agus in ainm Dé, beimid ar shiúl. 'Bhfuil tú réidh, a Mháire?"

"Beidh mé 'bhur ndiaidh," arsa Máire, "nuair a chuirfeas mé snáithe olna ar mo ladhar. Tá gearradh féir uirthi."

"Rith is tabhair thart an beithíoch, a Mhícheáil," arsa'n t-athair agus é ag cur aibhleoige ar a phíopa.

"Seo dhuit; cuir do mhéar anseo," arsa an mháthair ag síneadh soitheach an uisce choisreactha chuig Mícheál, "agus tabhair leat deoir ar do mhéara, le caitheamh ar an bheithíoch fosta!"

Rinne Mícheál mar hiarradh air agus gan mhoill ina

dhiaidh sin, bhí sé féin agus an beithíoch ag an doras agus trí cléibh istigh ar an charr leis. Chuaigh sé féin agus an t-athair agus Máire ar an charr agus thiomáin leo 'na phortaigh.

Ní dheachaidh siad i bhfad gur bhuail Éamonn Eoin chucu fríd na cuibhrinn agus a chliabh ar a ghualainn.

"Bail ó Dhia oraibh," ar seisean, "chan 'bhur gcodladh tá sibhse ar maidin."

"Ní in am dinnéara fhéadann duine 'ghabháil a thógáil mhónadh, a Éamoinn," a deir Séamus. "Gabh isteach."

Chuir Éamonn an cliabh isteach roimhe agus bhí sé féin ag strácáil isteach comh maith agus a tháinig leis. Nuair a bhí sé crochta as an chlár deiridh, bhuail Mícheál buille ar an chapall agus phreab sé chun tosaigh comh tobann sin agus nach raibh ann ach é gur shábháil Éamonn é féin ar 'ghabháil amach ar shlait chúl a chinn. Phléasc Mícheál leis na gáirí agus nuair a chonaic Éamonn gur d'aon turas a rinne sé é, ar seisean, "Go ndamnaí 'n Diabhal thú! An a gheall ar mo mhuineál a bhriseadh a bhí tú, a ainspioraid?"

"Maise dá mbriseadh," arsa Mícheál á fhreagar, "nach againn a bheadh an dá oíche bhreátha ort!"

"Beidh sé te inniu ar ais," a dúirt Séamus.

"Beidh leoga," a dúirt Éamonn. "Róthe fá choinne na hoibre seo. 'Bhfuil sí tirim agat?"

"Tá, comh tirim le splanc. Millte tá cuid di. Tá clochmhóin agam nach ngnóthaím a dhath uirthi, tá sí scilte ar shiúl ina grabhar uilig," arsa Séamus.

"Bhí séasúr breá mónadh ann, leoga – míle altú do Dhia ar a shon," arsa Éamonn.

"Amen," arsa Séamus.

Sroicheadh an portach sa deireadh. Thug Éamonn iarraidh ar a chuid bachtaí féin agus scaoil Mícheál an capall as an charr agus thug sé cead a chinn dó ar thaobhanna na mbealach mór. Nuair a bhí sin déanta tharraing sé ar a athair agus ar Mháire. Bhí cliabh líonta de mhónaidh agus thóg sé ar a athair é agus thoisigh sé féin agus Máire a líonadh cinn eile. Bhí an cliabh seo ina shuí ar imeall an bhachta agus le cuidiú Mháire, bhí sé ábalta é a tharraingt aniar ar a dhroim. D'imigh sé leis go dtí an áit ar dhoirt an t-athair an chéad chliabh, tuairim is céad slat ar shiúl. Murab ea go raibh an aimsir maith, bheadh an t-iompar i bhfad níb fhaide ach tháinig an samhradh isteach breá tirim agus bheadh an carr ábalta a ghabháil isteach giota maith ar chionn na mbachtaí. Fad agus bhí sé ar shiúl bhí Máire ag líonadh cléibh eile, agus bhí sé chóir a bheith líonta nuair a phill a hathair. Nuair a bhí sé lán go béal, d'imigh an t-athair leis agus bhí an ghirseach ag coimhlint leis an chliabh eile a bheith lán fá choinne Mhícheáil.

Seo mar lean an obair agus ar feadh tamaill rinne sí gnoithe breá. Ach bhí an mhóin cruaidh agus ní raibh i bhfad gur thoisigh Máire ag cur scathingne agus ag gearradh na méar uirthi féin. Bhí an fhuil ina rith leo sula raibh sé ina leath am dinnéara, agus in áit gearradh féir amháin ar a cois anois bhí ceann ar gach ladhar agus an grabhar cruaidh agus an féar garbh ag gabháil isteach iontu. Níor luaithe cliabh líonta aici ná é ar shiúl agus ceann eile le líonadh. Bhí a droim bocht chóir a bheith briste ag cromadh, agus mar bharr ar an iomlán thoisigh an t-ocras á bualadh. Gach am a bhfuigheadh sí faill air, d'amharcadh sí bealach an bhaile, fiacháil an bhfeicfeadh sí a máthair ag teacht leis an dinnéar. Sa deireadh d'amharcadh sí le gach cliabh dá dtógfadh sí.

"Tá mé marbh leis an ocras," arsa an ghirseach bhocht le Mícheál. "'Bhfuil sé chóir am dinnéara go fóill?"

"Is gairid go raibh," ar seisean; "ach an bhfeiceann tú? – sin thall gas seamair – cogain na duilleoga agus bainfidh siad an t-ocras díot."

Bhí a fhios ag Mícheál go maith go raibh uair mhór fhada ar a laghad go ham dinnéara, agus rinne sé leathlíonadh ar an chliabh fholamh di i gcónaí sa dóigh go raibh faill bheag aici a droim a dhíriú go dtigeadh a hathair lena thógáil air. Bealach an bhaile a bhí súil Mháire gach bomaite acu sin. Sa deireadh, agus b'fhada le Máire an tamall é, tháinig bean ar amharc ag claí Róise, míle ar shiúl. Tháinig neart úr i gcnámha na girsí, laghdaigh an phian ina droim agus líon sí na cléibh níos achoimre ná rinne sí le huair iad. Bhí scíste maith roimpi anois agus rud inteacht a ruaigfeadh an t-oibriú a bhí ar a goile. Tháinig bean na bascáide níos deise do bhaile agus bhí iontas ar Mháire cad chuige nár ghearr sí isteach an aicearra trasna an phortaigh chucu. Ach dar léithe go mb'fhéidir gur mhaslach lena máthair a bheith anuas agus suas ar bhachtaí agus an bhascáid le hiompar aici.

Nuair a thóg sí cliabh eile, bhí a máthair os a coinne ar an bhealach mhór agus gan aici le déanamh ach siúl aniar droim bachta go dtí iad. Líon an cailín beag an cliabh go héascaidh. Thóg sí ar Mhícheál é gan a ligean uirthi go bhfaca sí a máthair ag teacht ar chor ar bith. Ansin líon sí amach an cliabh a d'fhág Mícheál leathlán aici, agus thóg sí a ceann agus í ag feitheamh lena máthair a bheith ar a cúl. Máire bhocht! Máthair ná dinnéar cha raibh aici ann! Bhí an bhean a ndearn sí a máthair di, bhí sí ar shiúl léithe suas an bealach mór. Cúpla uair eile go ham dinnéara baineadh an mealladh céanna aisti agus d'ainneoin nár lig sí an rún le Mícheál, thuig seisean an scéal mar bhí sé, agus bhí truaighe aige di, nó ní dhearn sé dearmad go fóill den am a raibh sé féin ar aois Mháire, i gcionn na hoibre céanna, agus an t-anás céanna ag cur as dó.

Nuair a tháinig an mháthair, tháinig sí i ngan fhios di nó ba'n chéad rud a thug sí fá deara í ag caint lena hathair ag cnap na mónadh.

Shuigh siad thart ar urlár bachta agus chuir an mháthair bascáid an bhídh eatarthu. Thóg sí amach éadach a raibh prátaí ann agus an gal ag éirí astu go fóill, agus spréigh sí amach os a gcoinne iad. Chuir sí páipéar a raibh gráinnín salainn air ar imeall an éadaigh agus dhoirt sí braon bainne amach ar dhá bhabhal. D'fhág sí babhal os coinne a fir agus ceann os coinne a mic, agus thug an buidéal agus an braon a bhí fágtha ann do Mháire.

"Tur go leor, a Mhaighréad!" arsa Séamus.

"Bhí beithíoch éisc agam, maise, ach goidé mar 'thiocfadh liom a thabhairt liom le cois gach aon rud eile dá raibh le hiompar," arsa a bhanchéile. "Beidh sé romhaibh tráthnóna."

Ní bhfuair Mícheál ná Máire lá loicht ar an bhord. Luigh siad leis na prátaí agus leis an tsalann, agus chonacthas do Mháire nach raibh leathoiread ocrais uirthi anois agus a shíl sí, nó ní raibh i bhfad go raibh a sáith ite aici. D'ól siad an bainne, á shnáthadh ina dheochanna leis na prátaí, agus an braon deireanach ina bholgam á ní siar. Chuir an mháthair amach braon tae as buidéal eile a bhí istigh i stocaí lena choinneáil te, agus tharraing an bheirt óga orthu giota aráin as an bhascáid, ach d'ól Séamus a chuid féin siar ina chúpla bolgam. Ba sin a ndinnéar agus nuair a bhí siad críochnaithe, dúirt Séamus agus é ag tarraingt air a phíopa, "Glóir agus moladh agus míle altú do Dhia!"

Luigh Máire ar a fad ar urlár an bhachta agus fuair sí faill amharc ar a méara. Bhí an craiceann ite ina ghága ag an mhónaidh chruaidh, scathingne ar gach aon mhéar ariamh acu, iad ag cur fola, agus dusta na mónadh sioctha ins an fhuil.

D'imigh Mícheál leis ag tarraingt síos ar an áit a raibh Éamonn Eoin ag déanamh clampa. Ar a bhealach bhí aige le dhul trasna ar bhachtaí na bpéas. Bhí beirt acu féin agus dhá fhear páighe ag tógáil na mónadh; ach san am sin, bhí siad i gcionn a ndinnéir i gcúl charnán na mónadh a bhí tógtha acu. De réir na ngáirí agus an ghleo a bhí ag éirí ó chúl an chlampa, bhí rud inteacht ní ba láidre ná prátaí agus salann ag cur meadhair iontu. Sula ndeachaidh siad chuig an dinnéar, fágadh ceithre chliabh mónadh líonta ar dhroim bachta, réidh le hiompar ar shiúl. Dhoirt Mícheál tuairim is leath na mónadh as gach cliabh agus chuir sé dhá chloich mhaithe mhóra i ngach cliabh agus an mhóin thart ina mullach ar ais sa dóigh nach mbeadh na clocha ris. "Bainfidh sin cuid den mheadhar asaibh," ar seisean leis féin agus d'imigh leis go clampa Éamoinn.

Bhí an duine modhúil sin ar chúl an chlampa ag ól braon tae agus ní thug sé fá deara Mícheál ag tarraingt air. Chuaigh Mícheál suas ar mhullach an chlampa os cionn Éamoinn agus go díreach nuair a bhí buidéal an tae ar a bhéal aige, bhuail sé fód mónadh ar bharr a bhróige. Léim Éamonn ina shuí agus thug iarraidh ar ghasúr, a bhí ag cróigeadh mónadh fad urchair taobh thuas de. Chonaic an gasúr agallaidh Mhícheáil, agus níor fhan sé le seanchas a chur ar Éamonn fá caidé a bhí ag déanamh buartha dó. Ní raibh níb fhearr le déanamh aige sin ach pilleadh chuig a chuid tae, agus bhí sé go díreach ina chionn athuair nuair a buaileadh an dara fód fána chosaibh. Ní raibh ina aice anois ach na péas agus anonn leis dá fhágáil orthusan. Thug Mícheál léim síos an taobh eile den chlampa le bheith as amharc Éamoinn; ach siúd ar shiúl taobh an chlampa nach raibh ach garbhdhéanta, agus tchí Éamonn cé a bhí ag bobaireacht air i rith an ama.

"'Ghadaí, atá ar fostú ag an diabhal!" ar seisean ag séideadh ar Mhícheál leis na fóide go raibh sé dhá fhad urchair uaidh.

Phill Mícheál ar a ghnoithe féin, ach choinnigh sé súil ghéar go bhfaca sé meitheal na bpéas ag gabháil faoina gcuid cliabh féin ar ais. Strácáil siad leo iad go dtí an cnap ar dhóigh inteacht; ach cibé acu meáchan na gcloch nó an bolgam de bharraíocht a bhain siad as buidéal mór dubh a bhí acu leis an dinnéar, a chuaigh sa ghrágán ag fear acu, bhain truisleadh dó ag gabháil trasna an bhachta dó agus siúd ar mhullach a chinn síos ann é. Ní raibh ann ach nár éirigh an cleas céanna do Mhícheál é féin, leis an racht gáirí a tháinig air.

VII

Nuair a mheas siad go raibh sé an ceathair a chlog, rinne Maighréad tine agus ní raibh moill uirthi sin, nó bhí an mhóin so-lasta, tirim. Cuireadh Máire chun na habhna fá choinne lán canna d'uisce agus ní raibh a deifre uirthi ag pilleadh. Sheas an créatúr amuigh san uisce agus ba bhalsam dá cosaibh nimhneacha an t-uisce fuar ag rith lena cuid loirgneach.

Nuair a bhí an tae dá ól, chuir Mícheál ceist ar a athair goidé fá chruinniú Mháire Pheadair.

"Maise, is mór an truaighe an seanchailín bocht agus gan duine le dadaidh a dhéanamh di," ar seisean. "Fá chionn uaire eile tá sé comh maith agat do chliabh a thabhairt leat agus do lámh a chur leis an obair." Chuir.

Bhí lorg dhearg gearrtha ag iris an chléibh ina ghualainn ó mhaidin agus bhí an craiceann stróctha ag bun an chléibh dá chaoldroim. Bhí sé tachtaithe le dusta na mónadh agus a chraiceann cumhdaithe leis an dusta chéanna agus le hallas a choirp a bhí ag sileadh de ó mhaidin. Bhí lá fada maslach oibre déanta aige ó mhaidin agus bhí sé anois ag gabháil a thabhairt lámh chuidithe do mhnaoi dheileoir a fágadh léithe féin ar bheagán d'iolmhaitheas an tsaoil seo. Agus níorbh eisean amháin a bhí ann. Ní raibh aon teach ar an bhaile, ach teach an tsiopa agus tithe chúpla créatúr eile comh mór de thruaighe léithe féin, nach raibh duine nó beirt as ann ag cruinniú na mónadh. Rinneadh sealaíocht ag líonadh na gcliabh, ag iompar, ag triostáil na mónadh, ag cur aile ar an chruaich, gan amhthroid gan achasán agus níor stadadh den obair go raibh an fód deireanach sa chruaich. Bhí greann agus gáirí ann, bobaireacht ar dhaoine confacha, gearradh cainte agus greann-chleasaíocht ach chuaigh an obair chun tosaigh ar chos in airde san am chéanna agus ghuigh Máire Pheadair os ard agus os íseal beannachtaí ar na dea-chomharsanaí nár lig anás ná leatrom uirthi ó fágadh léithe féin í.

Nuair a bhí deireadh déanta, rinneadh scíste breá fada. Bhuail cuid de na fir béal na gcliabh faofa agus shuigh siad orthu. Shuigh na cailíní thart fá bhun na cruaiche, agus chaith na buachaillí óga iad féin ar a bhfad ar an fhéar. Deargadh píopaí, canadh ar chéad rud agus sa deireadh tharraing sean-duine beag a bhí ann air fá chruinníocha a bhíodh ann ina óigesean.

"Bhí fear," ar seisean, "arbh ainm dó Dubhaltach Pheadair ina chónaí, é féin agus Eibhlín, a bhean, ar Ard na mBuidéal. Bhí an cró bothóige a bhí acu déanta suas le taoibh creige a bhí ag ruball an aird, agus bhí barr na creige agus díon an tí ar aon airde amháin.

"Oíche amháin, cé bith bealach a raibh scaifte againn, goidé casadh orainn ag cloich na marcaíochta ach seanchapall bán le fear siúil. Thug muid linn é suas Ard na mBuidéal gur chuir muid a shoc os coinne gas féir a bhí ag fás ar mhullach bothóige an Dubhaltaigh. A chroí mo chléibh, ní luaithe a tchí an sean-chapall an féar ná siúd amach ar bharr an tí é agus síos leis an dá chois tosaigh fríd na seanchreataí go díreach os cionn na háite a raibh an tseanlánúin ina luí! D'éirigh na míle murdar ag Eibhlín agus í ag iarraidh an Dubhaltach a mhealladh léithe amach as faoi chosa an chapaill. 'Lig domh, a bhean, a deirim leat, lig domh,' a deireadh an Dubhaltach. 'Agus bíodh geall nuair a bheas mise marbh teacht an lae gur mé mhionnóchas ar na maistíní seo go gcuire mé an t-iomlán dearg acu chun na croiche.'

"'Rith an ama seo, bhí sinne ag strácáil an tseanchapaill amach as an pholl a raibh sé ann, ach i ndeireadh na dála b'éigean dúinn an Dubhaltach a strácáil amach as an áit a raibh seisean ina luí agus dhá chois an bheithígh crochta anuas os a chionn agus an capall a ligean anuas fríd an bhothóig. Ansin a thoisigh an caoineadh agus an mhairgneach agus an bagar fán teach a bhí millte, agus dheamhan a ndearn muid agus oíche dheas ghealaí ann ach toiseacht agus dóigh a chur ar a chró dó nach raibh ariamh aroimhe air. Ní raibh ár leithéidí eile faoi rothaí na gréine ag an Dubhaltach ansin, bhí sé comh sásta sin. Bhí sé féin agus Eibhlín ag gabháil a chruinniú a gcuid nithe beaga isteach ann ar ais nuair a d'éirigh bladhaire tineadh amach as mullach an tí. Séamus Airt Éamoinn an buachaill céanna a chuir tine ann fá choinne an Dubhaltach a chur ar obair ar ais, cé gur cneasta diaganta an duine Séamus agaibh anois i ndeireadh a shaoil."

"Ní fiú a bheith ag éileamh ar an chrostacht bheag shoineanta a ghníos sinne," arsa Mícheál Shéamuis. "Cha bhfeiceann duine nó diúlach agaibh gnúis Dé a choíche agus an bhail a chuir sibh ar an tseanphéire sin."

"Go ndearca Dia ar do chéill," arsa'n seanduine. "Tá'n Dubhaltach céanna thuas ag fanacht linn agus ag feitheamh orainn agus beidh a dhá láimh sínte anuas aige le sinn a tharraingt isteach má théimid chóir baile ar chor ar bith. Ba é dódh an tí an rud ab fhearr a d'éirigh ariamh dó.

"Thug sé an sagart mór orainn luath go leor ar maidin ceart go leor, ach má thug bhí sinne i gcionn oibre le huair sula dtáinig sé agus in áit bothóg fód, mar bhíodh aige ariamh go dtí sin, chodlaigh sé féin agus Eibhlín ón oíche sin amach i dteach sheascair cloch a raibh áit tineadh agus toite acu ann. Dheamhan fear againn nach ndeachaidh a shaoirseacht an lá sin, bíodh ciall don obair aige nó ná bíodh. Agus, cé gurbh iontach libh é, síon nó deora ní raibh ins an teach ó sin go ndearnamar an Dubhaltach a fhaire ann, dhá bhliain i ndiaidh Eibhlín a chomóradh chun na reilige."

"Seo, siúlaigí libh, ní insíonn giolla na séideog sin ach bréaga uilig," arsa duine inteacht.

Tógadh cléibh agus bhain an cruinniú soir is siar amach, gach duine ar a bhealach féin 'na bhaile.

VIII

Chuir muintir Shéamuis isteach trí lá ar an phortach sula raibh deireadh na mónadh tógtha acu, agus ag deireadh an ama sin bhí lámha agus cosa Mháire boichte ina gcneadhacha dearga uilig. Ar maidin, an ceathrú lá, agus í ag cur amach an eallaigh, bhí sí ag siúl ar bhonn coise amháin agus ar thaoibh na coise eile, nó le cois gearradh féir ar na ladhra bhí bonnbhualadh ar sháil na coise aici. Bhí an féar, fliuch le drúcht trom ó oíche, ag tabhairt faoisimh bhig di ach nuair a bhuailfí an tsáil in éadan an talaimh go tobann nó nuair a rachadh gas garbh féir i ngearradh aici, rachadh an phian go dtí'n croí inti agus thiocfadh na deora lena súile. Níor stad sí nó gur chuir sí na ba go dtí páirc a bhí ag taoibh na farraige a raibh cineál claí thart uirthi agus a mbeadh an t-eallach furast a bhuachailleacht ann.

Ní raibh sí i bhfad ansin go dtáinig Pádraig Óg a dhéanamh an eadartha lena chuid bó féin, agus shuigh an seanduine agus an cailín beag a dhéanamh a gcomhrá le chéile.

"Máire 'thaisce," arsa Pádraig, "nach breá luath tá tú amuigh ar maidin?"

"Sea," arsa Máire.

"Creidim go bhfuil deireadh na mónadh tógtha agaibh," arsa'n seanduine.

"Tá," a dúirt Máire, "thóg muid deireadh tráthnóna inné. Tá m'athair agus Mícheál á cur 'na bhaile inniu."

"Nach méanar díbh tógtha agaibh í! Tá mo chuid go léir le tógáil agamsa go fóill," arsa Pádraig. "Ach ní raibh sí giollachtaithe róluath agus ní mó ná go bhfuil sí stálaithe i gceart go fóill."

Níor labhradh ar feadh tamaill ansin, ach an fear ina shuí ansin ag caitheamh a phíopa ar a shuaimhneas agus é ag machnamh – ag amharc ina dhiaidh, b'fhéidir, ar na blianta a bhí caite, ar aoibhneas a óige nuair a bhí sé in aois na girsí a bhí lena thaoibh, ar chrá thús a shaoil nuair a sciob an bás ar shiúl a chaoinchéile agus d'fhág sí é féin agus a naíonán beag girsí go hanásta leo féin, ar é a bheith ag déanamh gur mhaith an éadáil don pháiste dá ngoireadh Dia 'na bhaile air, agus ar mhórmhaitheas Dé agus ar A dhóigheanna diamhracha a d'fhág an cailín sin aige anois i ndeireadh a shaoil le bheith ina crann taca agus ina sólás aige.

Bhí Máire ag piocadh le barr a bata ins an talamh ag amharc roimpi ar an tsaol a bhí ag druid isteach uirthi. Goidé a chonaic sí ann? Ba í a labhair ar tús. "Cá bhfuil Peadar inniu?" Peadar an giolla a bhí ar fostú ag Pádraig agus a bhíodh ag buachailleacht gach lá eile.

"Ó sea, Peadar," a deir an seanduine mar thiocfadh an cheist air agus gan é ag feitheamh léi. "Sea, chuaigh sé féin agus Síle a chuidiú lena mháthair cuid den mhónaidh a chur i gcionn a chéile. Níl an chuid mhór cuidithe aici nó tá an t-athair in Albain i rith an tsamhraidh. Caithfidh mise an bhuachailleacht a dhéanamh go dtí'n oíche ina áit inniu."

"Creidim go bhfuil sé greannmhar ag duine mór a bheith ag buachailleacht?" a deir Máire.

"Maise, bídh sé ainchleachtaithe go leor," arsa Pádraig. "Bídh an t-am fada ag gabháil thart ag duine ina shuí."

"Ó 'Phádraig," arsa Máire, "'bhfuil a fhios agat goidé dhéanfas tú? Inis scéal breá, cuirfidh sé thart an t-am go deas."

D'inis.

"Bhí buachaill beag ann fad ó shin agus dár ndálta féin bhíodh sé i gcónaí ag buachailleacht, ach caoirigh a bhíodh aige amuigh ar thaoibh an chnoic. Sréadaí a bhí ann. Ní bhfuigheadh sé 'ghabháil chun Aifrinn ach uair annamh anois agus ar ais. An Domhnach nach mbeadh sé ag Aifreann ba ghnách leis a ghabháil go dtí bun binne móire a bhí ann go n-abradh sé a urnaí. Bhí sruth fíoruisce ag brúchtaigh amach as taoibh na binne seo agus sula dtéadh an sréadaí a dh'urnaí, chaitheadh sé tamall ag breathnú ar an uisce as taoibh na binne. An áit ar thit sé ar an talamh bhí féar deas glas ag fás ann d'ainneoin nach raibh thart fá dtaobh den áit ach cíb agus fraoch garbh. Dar leis an tsréadaí ina chroí féin gur chosúil an sruth uisce as ucht na binne leis an tsruth d'uisce agus d'fhuil róluachmhar a scaird as ucht bheannaithe an tSlánaitheora nuair a ghoin an dall é agus é crochta ar Chrann na Croiche. An duine a ndéanfaí a fholcadh leis an fhuil fuascailte sin nó leis an tsruth de ghrásta Dé a bhí ag sileadh ón chroich bheannaithe ariamh ó shin, bheadh sé i súile Dé mar fhéar na míne 'measc na cíbe agus an fhraoich.

"Ansin chaitheadh sé é féin ar a ghlúinibh agus d'agradh sé Dia na cruinne tuile mhór Dá fhuil luachmhair a dhoirteadh anuas ar chroí sréadaí bhoicht. Agus i ndiaidh a bhuíochas a ghabhadh le Dia, d'éiríodh an sréadaí agus sólás dothuigthe ina chroí.

"Ach gach Domhnach á dtigeadh a sheal le ghabháil chuig an Aifreann, shíl an sréadaí go raibh grásta ar leith ar fad ag Dia dá thabhairt dó. Ó éirí gréine an mhaidin sin ní raibh ar a shúil ná ar a aigne ach sruth na fola, tuile na ngrásta as taoibh an tSlánaitheora. Nuair a thigeadh sé go teach an phobail, ní dhearcadh sé ar thaoibh ná taobh ach a chóta mór a bhaint de taobh amuigh den doras, í a iompar isteach ar bhacán a láimhe agus a caitheamh trasna ar an ghath gréine 'bhí ag teacht isteach ar an fhuinneoig. Choinníodh an gath gréine suas an cóta go mbeadh an tAifreann thart agus an sréadaí ag imeacht.

"Ach lá amháin agus é ar a bhealach chun Aifrinn casadh beirt fhear dó agus iad ag clamhsán agus ag amhthroid lena chéile. Sheas sé bomaite a dh'éisteacht leo agus ansin shiúil leis ar ais. Ach mo bhrón a inse! Nuair a chaith sé a chóta trasna an ghath gréine an lá sin, thit sí go talamh agus d'fhág an sréadaí teach an phobail ní ba thromchroíche ná bhí sé ariamh go dtí sin, nó bhí a fhios aige go raibh Dia míshásta leis."

Bhí Pádraig críochnaithe cúpla bomaite sular labhair Máire.

"Cad chuige 'raibh Dia míshásta leis, an lá sin?"

"Ó tá," arsa Pádraig, "thóg sé a intinn de Dhia agus den Aifreann ar feadh bomaite, agus é ar an bhealach go teach an phobail agus ní raibh Dia sásta leis."

Chuir sin Máire a mheabhrú ar ais ach níl a fhios ach ag Dia agus aici féin cé na smaointe a reath fríd a cionn.

"An go Pobal an Choiteann a bhíodh an sréadaí ag teacht, níl a fhios agam?" arsa Máire ar ais.

"Ó níorbh ann," arsa Pádraig, "ach go Machaire Gathlán."

"An raibh teach pobail ansin?" a deir Máire.

"Bhí; agus tá na ballaí ann go fóill," arsa Pádraig. "An raibh tú thíos ins an reilig ariamh, a Mháire?"

"Bhí mé ann lá amháin, an lá 'cuireadh mo mháthair mhór. Chonaic mé iad ag déanamh na huaighe – poll mór domhain síos ins an talamh. Chuir siad an chónair síos ins an uaigh agus chuir siad léar créafóige ar mhullach na cónra go raibh an uaigh lán ar ais. Bhí mo mháthair ag caoineadh, agus bhí deora le súile m'athara agus Mhícheáil agus thoisigh mise a chaoineadh nuair a chonaic mé iadsan ag caoineadh."

"Thoisigh, a thaisce," arsa Pádraig; agus dá n-amharcadh Máire go géar ar an tseanduine tchífeadh sí an deoir ar an tsúil aige fosta nó thug cuntas na girsí ar adhlacadh a máthara móire, thug sé uaigh mhór dhomhain eile ina chionn, uaigh inar cuireadh go domhain i gcré a bhean i dtús a hóige, uaigh nár tharraing deoir as a shúil san am, ach a stróc a chroí as a chliabh agus a shlog siar i gcuideachta na cónra é.

"An bhfaca tú," ar seisean fá chionn tamaill bhig, "na ballaí atá sa reilig?"

"Chonaic," ar sise, "agus tá a fhios agam go maith go bhfuil scéal fá dtaobh de. Inis domh é."

"Maise tógann scéal cian de dhuine," arsa Pádraig agus thoisigh sé.

"Bhí fear ina chónaí i Machaire Gathlán fad ó shin, fear de Chlainn Mhic Ghiolla Bhríde. Bhí an bhliain olc agus an barr gann, ach bhí scioból ag Mac Giolla Bhríde agus é boglán d'eorna. Thug sé fá deara go raibh an eorna ag imeacht agus shuigh sé oíche amháin i gcúl an dorais sa scioból á choimheád.

"Anonn sa mheán oíche, tháinig an gadaí isteach agus thoisigh sé gur líon sé lán mála den eorna. 'Fan,' a deir Mac Giolla Bhríde agus é ag teacht chun tosaigh ó chúl an dorais nuair a bhí an mála líonta aige, 'agus tógfaidh mise an mála ort.' Ach nuair a chrom Mac Giolla Bhríde tharraing an gadaí amach miodóg agus stróc sé bolg Mhic Ghiolla Bhríde leis an scian agus d'imigh sé. D'éirigh Mac Giolla Bhríde, fuair greim lena láimh ar lorg na miodóige agus bhain a theach féin amach, an áit ar shíothlaigh sé gan mhoill i ndiaidh a inse goidé a d'éirigh dó agus cé a rinne air é.

"Nuair a chonaic an gadaí goidé 'bhí déanta aige, d'imigh sé féin agus a theaghlach siar go Connachta agus deirtear go bhfuair sé anbhás thiar ansin. Dáta blian ina dhiaidh sin, phill bean an ghadaí as Connachta agus bhí sí ag gabháil thart fríd Machaire Gathlán ag cruinniú déirce. Bhí mac do Mhac Giolla Bhríde amuigh ag obair agus d'aithin sé an bhean. Bhí páistí leis an mhnaoi agus d'fhan duine acu ina diaidh ag Droim na hÁtha. Fuair Mac Giolla Bhríde greim air agus in aisíoc bhás a athara, bhain sé an ceann de. Chuir sé an corp agus thug sé leis an ceann gur chuir i bhfolach é thuas faoi phuirlín a thí féin.

"Seacht mbliana ina dhiaidh seo, bhí an sagart ag éisteacht i dtigh Mhic Ghiolla Bhríde, agus nuair a spréigh sé an t-éadach geal ar an tábla le toiseacht ar an Aifreann, thit trí deora fola anuas as na creataí ar an éadach.

"'Ó bó,' a deir an sagart, 'tá dúnmharú déanta anseo!'

"'Tá,' a deir Mac Giolla Bhríde; 'agus ní féidir a cheilt níos faide,' agus d'inis gach ar tharla agus mar a bhí an ceann i bhfolach ins na creataí aige.

"Mhaith an sagart a pheacadh dó ach chuir sé de bhreithiúnas aithrí air trí neithe a dhéanamh – bealach mór a dhéanamh fríd Chlochar na Lámh ar thaoibh Chnoc Fola, droichead a chur ar an Chláidigh agus teach pobail a thógáil i Machaire Gathlán. Bhí aige féin leis na clocha 'rachadh i dtigh an phobail a sheiftiú, an moirtéal a mheascadh le bláthaigh agus codladh san obair go mbeadh an teach críochnaithe aige.

"Rinne Mac Giolla Bhríde mar hordaíodh dó agus sin mar 'tháinig an tseanbhallóg atá ins an reilig."

"Go raibh maith agat, a Phádraig," arsa Máire. "Ach nár thruagh Mac Giolla Bhríde ina chodladh i lár na reilige fhad is 'bhí sé ag déanamh an tí."

"Ní raibh sé comh holc sin ar fad," arsa Pádraig, "nó san am sin ní raibh reilig ar bith ann d'ainneoin go raibh a fhios ag na daoine go raibh cill ansin na céadtaí bliain roimhe sin, ach ní raibh dubh ná dath di le fáil san am. Tá scéal eile ar dhéanamh na reilige ann agus má ritheann tú agus mo bhó a cheapadh as a treabhaire, inseochaidh mé dhuit é."

"Maise m'anam nach n-insíonn," arsa Mícheál Shéamuis thiar ar a gcúl, an áit a dtáinig sé i ngan fhios don phéire nuair a bhí Pádraig ag toiseacht ar scéal Mhic Ghiolla Bhríde, "tá am eadartha ann, agus ó tharla go gcaithfidh Máire 'ghabháil 'na bhaile leis na ba, is fearr duit salann a chur air go ham inteacht eile."

"Pleoid ort, a rógaire! An tusa tá anseo?" arsa Pádraig, agus fad agus bhí Máire i ndiaidh na bó, d'inis sé scéal do Mhícheál, scéal a thug a theacht formhothaithe féin ina chionn.

"Bhí an Sagart Mór Ó Dochartaigh amuigh lá ina shuí ins an chuibhreann agus mar bhí sé anonn in aois ní raibh mothú rómhór ann. Tháinig Padaí Rua thiar ar a chúl agus ghoid sé leadhb tobaca amach as póca an tsagairt. Ansin tháinig sé chun tosaigh, agus, ar seisean leis an tsagart, 'Tá giota tobaca anseo agam a ghoid mé agus bhéarfaidh mé daoibhse é.' 'Cha dtugann tú a leithéid,' deir an sagart. 'Tabhair don té a dtug tú uaidh é.' 'Bhí mé á thabhairt dó,' arsa Padaí, 'agus cha nglacfadh sé é.' 'Coinnigh féin é mar sin,' arsa'n Sagart Mór leis, ach nuair a chonaic sé Padaí ag tarraingt air a ghiota tobaca féin agus ag gabháil a líonadh a phíopa féin, mise mo bhannaí ort nach raibh sé i bhfad ag baint a chodach amach."

Phill Máire leis an eallach, agus go dtí seo féin níor mhothaigh sí angadh ina cneadhacha agus chan díobháil nár shiúil sí nó b'éigean di na ba a cheapadh fiche uair i rith an ama, ach gur thóg an scéalaí a ghlór ard go leor sa dóigh nach raibh feidhm dó an scéal a bhriseadh. Ghearr an scéalaíocht an t-am agus dhallaigh sé pian aigne agus coirp.

IX

Thug ceithre Aithreach Naofa d'Ord Naomh Doiminic misiún i bpobal Ghaoth Dobhair. Bhí sé corradh maith agus fiche bliain ó bhí misiún ann aroimhe, agus nuair a bhí an mhí a mhair sé reaite agus bhí an misiún á dhruid bhí teach an phobail ag brúchtaigh le daoine móra taobh istigh, agus bhí slua mór páistí taobh amuigh.

An oíche sin bheannaigh an tAithreach Naofa, a bhí i gceannas an mhisiúin, bheannaigh sé na daoine, ó liath go leanbh; na tithe, na hainmhithe, an éanlaith, na cuibhrinn, na cnoic agus na haibhneacha; agus thug sé beannacht ar leith don fharraige, 'gheall ar í bheith iascúil torthach fad agus chónóchadh grá Dé agus na gcomharsan i gcroíthibh na ndaoine. Ghuigh sé a bheannacht orthu go léir agus gheall sé á gcuimhniú ina urnaí; agus nuair a bhí sé ag fágáil slán acu agus ag iarraidh a n-impí ar son cheithre sagart bocht a bhí ag caitheamh a mbeatha ó thír go tír ag seiftiú obair an Tiarna, má bhí tocht ina ghlór agus deora i súilibh a lucht éisteachta, cárbh ionadh é?

Ba léir don dall toradh na mbeannacht ar an fharraige an geimhreadh sin. Bhí scadáin ag éirí ar an fhéar ann. Ní raibh bád ar na hoileáin ná ar tír mór nach raibh ina gcionn. Daoine nach ndearn lá iascaireachta ariamh agus nár smaointigh ar a leithéid go dtí seo, bhí siad anois ag saothrú airgid bhreá ar na scadáin. Fuair Mícheál Shéamuis áit ar bhád Mhánuis Aodha agus ar feadh chúpla oíche bhí pléisiúr an tsaoil ag Antoin beag amuigh ins an scioból ag Mícheál agus ag Mánus, an áit a raibh siad ag crochadh eangach úr, ag cur rópa boinn leo agus á ndathú. Chuir siad i gcionn Antoin go raibh sé féin ag gabháil leo ar an bhád fá choinne na scadáin a mharú le bata nuair a bheirfí orthu agus bhí a mháthair buartha ag Antoin i dtaoibh an scéil.

Théadh na bádaí chun na farraige le titim na hoíche agus chuireadh gach bád a cuid eangach féin. D'fhágadh siad ancairí agus bullaí orthu agus phillidís 'na bhaile. Teacht an lae, bhí na bádaí amuigh ar ais ag tógáil na n-eangach agus go minic bhíodh oiread éisc iontu agus go gcaitheadh siad a ghabháil dhá, nó b'fhéidir trí huaire fá choinne an t-iomlán a thabhairt isteach. Bhí margadh réidh ag Machaire Gathlán agus daoine gnoitheach ó chéad bhánú 'n lae. Bhíodh na hiascairí ag croitheadh na n-eangach, ag líonadh na scadán isteach i mbascáidí agus á n-iompar go dtí na bocsaí, an áit a raibh cailíní óga gnoitheach á nglanadh agus fir ag cur tharstu á sailleadh i mbairillí.

Bhí saothrú ag iomlán i gcois cladaigh na blianta sin, agus sonas agus séan i nGaeltacht Thír Chonaill. An fómhar a tháinig an bhliain a bhfuiltear ag tagairt dithe, bhuail cnapanna móra éisc Báigh Thoraí agus bhain bádaí na bpoibleach amach Machaire Uí Rabhartaigh le cuid d'fhómhar na scadán a bheith acu. Ar feadh chúpla seachtain, rinneadh obair mhaith ach isteach i nDeireadh Fómhair bhris an aimsir agus chuaigh an fharraige ar an daoraí. Chuaigh an iascaireacht síos agus suas, agus b'éigean na bádaí a tharraingt suas go hard ar an chladach. Chuaigh seachtain thart gan faoiseamh sa doininn agus bhain triúr den fhoireann a bhí ar bhád Mhánuis Aodha an baile amach bealach an talaimh. Reath seachtain eile gan socrú ar bith a theacht ar an aimsir agus mar bhí am bhaint na bprátaí ann bhí fonn ar na hiascairí pilleadh 'na bhaile. Ach ní raibh duine ar bith sásta fanacht os cionn na mbád agus an chuid eile a ligean chun siúil.

Maidin Dé Sathairn a bhí ann agus bhí Séamus Mhícheáil agus Máire ar Ruscaidh Pól ag baint phrátaí gainimh. Bhí lá diolba fuar ann agus gaoth lom ag caitheamh as an aird aniar aneas. Bhí séideog chruaidh ag síobadh agus i gcionn gach tamaill chaitheadh siad foscadh binne a bhí ann a bhaint amach le ceathaideacha fuara troma. Ná haifrítear ar Mháire é má b'fhada léithe an seal idir dhá chith, agus má ba ghairid léithe fad agus a mhaireadh an cith. Bhí a droim tuirseach ó chromadh ag béal spáide, eanglach ar na méaraibh aici ag piocadh prátaí amach as an talamh fhuar, agus gága míofara ar chúl na lámh ag an fhuacht agus ag an tsalachar. Bhí a dhá cois bodhar leis an fhuacht istigh i seanphéire de chuid bróg Mhícheáil a bhí uirthi agus nach raibh díon ná teas iontu. Bhí tine lasta ag bun na binne agus ba mhaith an faoiseamh agus an foscadh ag an ghirsigh bhoicht í. Ní raibh maith dá hathair a iarraidh uirthi coinneáil ón tinidh agus ina áit sin faiteadh a dhéanamh lena cuid sciathán leis an fhuil a thabhairt ins na méaraibh aici. Shuíodh Máire isteach os cionn na tineadh agus a dhá láimh sínte amach leis an teas d'ainneoin an toit a bheith ag baint na súl aisti. Cúpla uair fosta bhain sí di na bróga gur dhoirt amach an gaineamh a bhí ag gabháil isteach ar a mbéal le linn a hathair a bheith ag rúscáil an talaimh fána cosaibh aici leis na prátaí a chur ar uachtar. Bheadh na bróga céanna sin dithe ní ba mhinice, ach bhí na méara bodhar agus ní raibh sí ábalta na hiallacha a bhí iontu a scaoileadh. Rud nach ndearn sí dearmad de am ar bith, na cosa a shíneadh amach go dtí an tine le goradh a dhéanamh agus chuir sé iontas uirthi an phian a chuirfeadh an tine iontu ar tús in áit sógh a thabhairt daofa.

Ag an mheán lae chuir an t-athair Máire chun an tsrutháin fá dhéin canna uisce agus fad agus bhí sí ar shiúl, phioc sé amach cúpla duisín de na prátaí ba mhó a bhí ins an chliabh agus thug leis go dtí an tine iad. Bheir sé ar fhód mónadh – nó bhí cliabh iomlán mónadh leo ar maidin mar bheadh a gcuid bídh le déanamh réidh acu fríd an lá as siocair iad a bheith cúpla míle talaimh ar shiúl ón bhaile agus go raibh an lá róghairid le pilleadh chuig a ndinnéar – agus tharraing sé an tine ar leataobh. Thochail sé aníos poll as áit na tineadh, leag na prátaí ins an pholl, chuir cumhdach gainimh ar a mullach agus chóirigh an tine ar ais os cionn an iomláin le dhá fhód mónadh in ionad maide teallaigh.

Sula raibh sin déanta bhí Máire ar ais leis an uisce agus d'fhág siad na prátaí faoin tinidh agus thoisigh a bhaint ar ais. Nuair a bhí sraithe bainte phill siad ar an tinidh, tharraing Séamus amach cuid den ghríosaigh agus shín dhá scadán úrshaillte uirthi le rósadh. Nuair a bhí na scadáin rósta, cuireadh an tine ar leataobh ar ais agus tógadh amach na prátaí, agus leagadh thart ar an ghaineamh iad. Bhí Máire i ndiaidh a lámha a ní agus a thriomú os cionn na tineadh agus bheir sí ar phráta acu idir a dhá láimh. Ní go maith a bhí sí ábalta a greim a choinneáil air ach bhí sí á thiontú agus á chasadh gur chuir sé an teas isteach ina méaraibh agus suas ina sciatháin.

An té nár ith teallachán prátaí gainimh bruite, gan oiread agus ball dóite orthu, agus nár shnáith scadán úrshaillte agus bolgam bainne mhilis leo, ina shuí le hais binne ar foscadh ó shíon na gaoithe, i ndiaidh leathlae oibre cruaidh a bheith déanta aige, ní thuigeann sé goidé'n rud tráth bídh a ghníos maith don cholainn agus don chroí. Bhánaigh siad féin agus an bolgam tae a tarraingeadh i gcois na tineadh, bhánaigh siad ocras, tuirse agus fuacht ón phéire a bhí ag saothrú a gcodach as allas goirt a malaíocha.

I ndiaidh an béile a bheith caite shuigh siad, Séamus ag caitheamh toite agus Máire ag amharc uaithi. Thug sí súil síos bealach Mhachaire Gathlán agus tchí sí triúr fear ag tarraingt siar Port an Mhadaidh Bháin ó theach an bháid. Bhreathnaigh sí orthu tamall agus ansin ar sise:

"A athair, siúd thíos Mícheál agus Mánus Aodha agus Diarmuid Óg ag teacht aníos as teach an bháid."

"Bíodh ciall agat, a thaisce," arsa'n t-athair, "nach bhfuil a fhios agat nach dtiocfadh bád Mheiriceá as Machaire Uí Rabhartaigh inniu, chan amháin bád beag gliomach, leis an fharraige tá ann."

"Bhal, sin Mícheál s'againne cinnte," arsa Máire. Chlis Séamus, nó bhuail sé ina intinn é go mb'fhéidir gur tais a chonaic Máire, agus thug sé féin fá deara fosta an chosúlacht. Ach ansin, ní fheicfeadh beirt taibhsí i gcuideachta agus i lár an lae. Agus lena chois sin, ní thiocfadh bád as Gabhla chan amháin thart Gob Faoi Chnoc agus mar sin de chaithfeadh sé gur fir inteacht eile bhí ann.

Níor cuireadh níos mó suime iontu gur cuireadh isteach an lá. Teacht na hoíche cuireadh cúpla mála prátaí ar an charr agus phill siad 'na bhaile. Ní raibh iontas ar Mháire nuair a chonaic sí Mícheál roimpi sa bhaile nó ní raibh ciall ar bith ag Máire don fharraige agus an chontúirt a bhí inti; ach bhí iontas agus na seacht n-iontas ar Shéamus nuair a tháinig Mícheál amach a chuidiú leis an úim a bhaint den chapall. Ansin féin ní thiocfadh leis a chreidbheáil go dtáinig siad ar athrach de dhóigh ach anoir an talamh. Níor dhúirt Mícheál cuid mhór ach, má bhí cruthú de dhíth ar an athair, go raibh an bád tarraingthe thíos ag teach an bháid ag an tsaol le feiceáil.

Ba deacair caint a bhaint as aon duine den triúr fán astar iontach a rinne siad ach, idir giota anseo agus giota ansiúd, cuireadh an scéal le chéile.

Bhí fonn ar an iomlán pilleadh 'na bhaile leis an tSatharn ach ní thiocfadh an bád a fhágáil gan duine os a cionn. I ngreann, dúirt Mícheál gur chóir daofa an bád a thabhairt leo agus mar nár chuir rud ar bith eagla ar Mhánus Aodha ariamh thóg sé ar a fhocal é, agus dúirt Diarmuid an t-árthach a bhéarfadh iadsan siar go dtabharfadh sé eisean fosta.

Ní raibh ní ba mhó de ach toiseacht a dhéanamh réidh agus d'ainneoin comhairle a raibh ansin cruinnithe, thiomáin siad an bád agus chuir chun na farraige í. Bhí gach duine dá raibh ansin, iascairí seancheannta uilig, comh cinnte gur chun a mbás a bhí siad ag gabháil agus nach gcuirfeadh fear acu lámh sa bhád le í a thiomáint. Chuir siad buille uirthi céad slat amach i mbun na gaoithe, chuir Mícheál agus Diarmuid an seol tosaigh ar an bhéim láir, chroch Mánus an stiúir agus chuir sé ceann an bháid ar Theach Solais Thoraí.

Sheas an scaifte a bhí cruinnithe ag breathnú orthu, iad tostach, gach duine agus a smaointeadh féin aige i dtaoibh an triúr fear a bhí, mar a mheas siad, ag cur lámh ina mbás féin. Bhí bean sa chruinniú, an bhean a raibh an fhoireann seo ar óstas aici, bean a raibh seanghaol aici le hathair Mhícheáil. "Agus," ar sise idir na deora, "goidé mar 'chuirfeas mé scéala chuig a muintir? Ó faraor géar!"

Déarfá gur á freagar a tháinig glór Mhícheáil trasna thar toirneach na dtonn ar an chladach. "Bheirimid dúshlán aon bhád sa phort sinn a leanstan," agus d'imigh an fhoireann as éisteacht agus beagnach as amharc an lucht faire ar an chladach.

Diarmuid Óg a lig giota eile den scéal uaidh agus é ag

cuartaíocht i dtigh comharsan cúpla seachtain i ndiaidh an gábhadh a chur thairis. Thóg siad Teach an tSolais ar an tsíneadh sin, ach níor mhothaigh siad trom na doininne gur chuir siad thart ar scáth an oileáin. Bhí sé lom orthu anois agus iad rite leis an iomlán de. Mar sin féin bhí gach rud ag gabháil ar fheabhas, Mánus 'na mháistir ar an stiúir, a cur suas agus ag ligean léithe mar d'fhóir sé, Mícheál ag oibriú an scóid, agus é féin gnoitheach ag taomadh nó bhí sí ag tógáil corrsteallóg. Bhí beaguchtach orthu ar tús ach nuair a chonaic siad a croí ag an bhád thug sé croí daofa féin agus chuir siad an smaointeadh ar chontúirt as a gcionn. Bhí Gob Faoi Chnoc ina mhaistreadh gheal uilig, an cáitheadh ag éirí ina cheo ar na beanna agus ag imeacht leis an ghaoith suas ruball an chnoic. Bhí na steallógaí ag teacht isteach ní ba mhinice agus Diarmuid crom i rith an ama ag taomadh leis an chapán. Ní raibh a fhios aige i gceart goidé mar a tharla agus iad ar bhord a bheith ag cur thart ag an ghob nuair a chuala sé Mánus ag rá:

"Is cruaidh an cás, a bhuachaillí, tá'n báire caillte. Cuirigí sibh féin i gcoimirce Dé agus a Mháthara Beannaithe!"

Nuair a thóg Diarmuid a cheann bhí Mánus ar a ghlúinibh ar urlár an bháid agus a cheann leagtha ar a sciatháin ar an tochta a bhí roimhe. Bhí Mícheál ag tabhairt iarraidh ar mhaide na stiúrach agus scód an tseoil leis scaoilte ina láimh. Bhí an seol ag síobadh sa ghaoith agus an bád dá tiomáint isteach ar na bristeacha. Stán siad an tsíoraíocht idir an dá shúil ar feadh bomaite ach ní tháinig a lá. Chuir Mícheál thart faoi, líon an seol, léim an t-árthach chun tosaigh agus d'fhág trí iascaire Beanna Faoi Chnoc agus an bás ina ndiaidh.

Mánus bocht nach bhfuair a sháith den fharraige ariamh go dtí sin, bhí a sháith agus fuíoll aige. Níor thóg sé a cheann agus níor scoilt sé a bhéal. Choinnigh Mícheál an stiúir, ghlac

Diarmuid an scód agus an capán agus luigh siad amach le luí gréine. Níorbh fhéidir a ghabháil fríd Chlochar Inis Oirthir agus mar sin de choinnigh siad an fharraige ar chúl na n-oileán. Chonaic muintir an oileáin an bád agus bhí óg agus aosta amuigh ar na beannaibh, cuid ar a nglúinibh ag guí agus cuid ag déanamh comharthaí daofa rith cladaigh a thabhairt di. Dá dtugadh, dhéanfaí smionagar d'en bhád agus ba bheag an seans go sábhálfaí oiread agus duine acu. Ach mar sin féin, bhí na daoine seo cinnte nach ndéanfadh an bád port go deo.

Níor labhradh focal sa bhád ach shín siad leo ar a mbealach. Faoi Umthuinn chaith Diarmuid an píce as an tseol agus rith siad ar an ghualainn go teach an bháid.

Bhí Máire Mhór ina seasamh sa doras agus a súil amach ar na bristeacha a bhí trasna na báighe. Leathbealaigh anonn tchí sí bád faoi ruball seoil ar dhroim na toinne agus i bhfaiteadh na súl bhí sí imithe. Choisreac an bhean chneasta í féin agus smaoin ar a clainn scaipthe soir siar ar an fharraige agus mheas nár dea-thuar an bád sí sa bháigh. Thug sí a cúl don fharraige agus shuigh taobh na tineadh ag méaradradh ar a coróin Mhuire agus a fear ar an taoibh eile ag cóiriú giota d'eangaí. Ní raibh deichniúr ráite aici nuair a chuala sí truisneach ar an tráigh faoin teach. Thug sí iarraidh amach agus tchí sí a bád sí ina suí ar an tráigh an áit ar fhág an tonn deireanach í agus Mícheál agus Diarmuid ag cuidiú le Mánus éirí óna ghlúinibh ar urlár an bháid!

X

"'Bhfuil a fhios agat cé 'd'imigh go hAlbain aréir?" arsa Padaí Eoghain agus é féin agus Éamonn Beag ag tarraingt go tigh Bhríd Pheigí Oíche Shamhna.

"Aréir!" arsa Éamonn.

"Sea," arsa Padaí.

"Maise, dheamhan 'fhios agam," arsa Éamonn.

"D'imigh Mícheál Shéamuis Mhícheáil bhal," arsa Padaí.

"Tá a fhios agamsa gur imigh Mícheál agus gach aon rud!" a dúirt an fear eile. "Nó cá mbeadh sé ag gabháil an lá seo de bhliain – fear nár chaith lá in Albain ariamh? Ar ndóigh, cha ligfeadh a athair le lucht an Fhómhair é, chan amháin é 'ligean ar shiúl leis féin anois nuair atá a mbunús ag pilleadh."

"Sea, ach níor chuir sé i gcead a athara é. D'imigh sé i ngan fhios. D'fhág sé an teach aréir i ndiaidh 'ghabháil ó sholas dó agus a cheirteach oibre air, agus ar maidin nuair a chuaigh an mháthair a bhleán na bó, fuair sí an seanéadach sa bhóitheach agus sin an chéad chrothnú 'cuireadh ar Mhícheál, a shíl sí a bheith ina luí ar a leabaidh. Phill sí chun tí ach bhí Mícheál agus a chulaith Domhnaigh imithe. Cuireadh a thuairisc, ach ní raibh aon duine ábalta a scéal a thabhairt go dtáinig Conall Shéamuis tá uair ó shin le capall a cheannaigh sé amuigh fá Ghallóglach inné. Casadh Mícheál air i Leitir Ceanainn ar maidin inniu agus é i ndiaidh siúl amach an cnoc ó oíche."

"Agus chuaigh sé amach an cnoc leis féin i ndiaidh oíche? Is mairg a dhéanfadh é!" arsa Éamonn.

"Bhí, leoga, bealach uallach uaigneach leis agus is beag a

shiúilfeadh leo féin, i nduibheagán oíche, na cúig mhíle dhéag atá ann ó fhágas tú teach Eoin Uí Fhearraigh ag bun an Earagail go raibh tú ag teach Phadaí Muiridh ar an Tearmann agus gan teach ná cró 'rith an bhealaigh ach an dá theach úd ag Gleann Bheatha," arsa Padaí.

"Níor dhadaidh é a bheith uaigneach istigh idir na sléibhte mar tá sé, ach an méid rudaí éagsamhalta a bhfuil muid ag éisteacht leo fá dtaobh de ó bhí muid 'nár bpáistí," arsa Éamonn. "Smaointigh air ag gabháil thart le Loch an Ghainimh an áit ar maraíodh an carróir ag teacht as Doire, agus amuigh ag na coraíocha móra an áit ar cailleadh an fear agus an capall ins an tseascann, agus amuigh ar ais ag cionn bhealach Ghartáin an áit a dtáinig an tais as cúl na cloiche móire ar fhear Dhún Lúiche!"

"Sílim nuair a bhí Mícheál ar an bhealach fosta go dtabharfadh sé rud maith ar a bheith ina mhalairt d'áit. Rinne Conall a dhícheall é 'philleadh, ach ní thiocfadh á mhealladh ar ais. Dúirt sé nuair nár phill sé i ndiaidh a bhfaca sé agus ar chuala sé i lár na hoíche idir Loch an Ghainimh agus Mín an Droighin nach bpillfeadh sé go rachadh sé go cionn an rása."

"Ar inis sé cá raibh sé ag gabháil?"

"D'inis, ar ndóigh. Bheadh sé ar bhád Dhoire sula mbíodh faill ag Conall a bheith sa bhaile. Tá sé amach béal na locha go maith leis seo."

"Níl a fhios agam goidé 'tháinig air ins na cnoic?"

"Níor lig Conall an rún lena mhuintir má lig Mícheál leis féin é, ach mhol sé daofa comaoin Aifrinn a thabhairt don tsagart ar a shon. Casadh a mháthair ormsa anois ag gabháil go tigh an tsagairt, agus ba í 'd'inis domh é. Tá sí iontach míshásta, agus deir sí gur chuma léithe dá mbíodh duine aitheantais leis."

"Ní heagal di Mícheál," arsa Éamonn. "Nach fearr dó in

Albain nó crochta leis an fharraige agus ag gabháil sa chontúirt a raibh sé ann tá mí ó shin?"

"Bhí fad ar a shaol an uair sin," arsa Padaí, "agus sílim gur mhaith an cuidiú é féin iad a theacht i dtír."

"Níl luí na gréine níos cinntithe ná sin," arsa Éamonn. "D'inis Diarmuid Óg do mo bhéal féin nach bhfeicfeadh siad baile ná áit choíche munab é Mícheál an lá sin. Ó bheir sé ar mhaide na stiúrach, thug sé stiúradh tirim di gur bhuail siad port."

"Ní thiocfaí é 'chur fríd a chéile, go raibh slán dó," arsa Padaí. "Tá súil agam go n-éireochaidh a shiúl leis."

Bhí siad ag teach Bhríde leis seo. Teach grinn agus cuideachta teach Bhríde agus fágadh comhrá siosmaideach taobh amuigh den doras ann. Stad an gleo nuair a dhall Padaí Eoghain an doras go bhfeicfí cé a bhí ag teacht. Má b'fhíor do Bhríd é, b'é Mícheál Shéamuis íde gach oilc, bun agus barr gach maistíneacht dá ndéantaí fán teach uirthi agus níor lú uirthi an fear thíos féin nó é. Ach nuair a chuala sí go raibh sé ar shiúl ní raibh ann ach: "A leanbh bocht i lúb na gcoimhthíoch agus gan duine acu ar thóin tí 'bhí cosúil leis!" Mhaith sí dó ar bhain sé de mhíthapa ariamh aisti agus ghuigh sí liodán beannacht fá mhullach a chinn. Chuir scéal Mhícheáil smúid ar an iomlán ar feadh tamaill go dearfa, nó ní bhíodh greann nár pháirteach Mícheál ann agus ní bhíodh crostacht nár bhun léithe é. Ní raibh duine ins an teach nár chuir sé fearg air in am inteacht; agus ina dhiaidh sin, ní raibh oiread agus duine acu nár chion leo é. I láthair na huaire sin, bhí iomlán ag smaointeadh air agus ar an bhealach uaigneach a bhí leis aréir roimhe sin.

Seanduine beag deargshúileach sconribeach pislíneach agus orlach de phíopa ina chab bhearnach aige a labhair ar tús.

"Bhí fear ina chónaí i dteach bheag ar chúl na coille ag

Gleann Tornáin, agus Proinsias Mhánuis Bhig a b'ainm dó. Míle uair a chualas na comharsanaí ag rá nár scoilt Proinsias a bhéal i mbréig ariamh agus chuala mé féin é ag inse an scéil seo agus scaifte againn cruinn aige ag airneál:

"'Chuir m'athair, grásta ó Dhia ar a anam, chun aonaigh mé go Ráth Bhotha le capall dubh a bhí aige a dhíol, agus níor dhearmad sé luach maith a chur ina chionn. Tráthnóna roimh lá an aonaigh, thug mé féin liom an capall agus thiomáin liom amach Loch an Ghainimh – sin an bealach a ndeachaidh Mícheál, tá a fhios agaibh – sa dóigh a mbeinn ar an Tearmann le titim na hoíche. Bhí rún agam an oíche sin a chaitheamh i Leitir Ceanainn agus a ghabháil ó sin chun aonaigh ar maidin.

"'Go díreach ar mhalaidh Ghleann Bheatha agus mé ag marcaíocht liom ar mo shuaimhneas, tchím an fear ina shuí ar thaoibh an bhealaigh mhóir. Bheannaigh sé domh agus mé dó agus i ndiaidh rath a ghuí ar mo chapall, bhuail muid chun comhráidh. Chuir sé ceist cá raibh mo shiúl nó goidé mo ghnoithe agus d'inis mé féin dó. Dúirt sé go raibh rún aigesean an t-astar céanna a dhéanamh agus gur ar lorg capaill a bhí sé; agus ó thaitin mo chapallsa leis, nár mhiste leis 'ghabháil chun margaí liom. Thuirling mé féin, bhreathnaigh an ceannaí an capall ó bharra na gcluas go bonnaí na gcos, agus chuir ceist goidé a luach. D'inis dó. Bheir sé lena leathláimh ar chionn mo láimhe, bhuail mo bhos-sa leis an láimh eile agus bhí an margadh déanta. Ach ó tharla nach raibh an t-airgead leis, d'iarr sé orm siúl liom go dtí na theach go n-íocfadh sé a luach liom. Fuair sé greim adhastair ar mo chapall agus shiúil muid linn go raibh muid ag Éadan an Chairn. Thiontaigh sé an capall amach taobh an chnoic ansin agus bhuail buille de shlait bhig a bhí ar iompar leis sna leasrachaibh uirthi. D'imigh an beithíoch suas taobh an chnoic ar bhogshodar agus ó nach raibh teach ná cró ar m'amharc féin, chuaigh mé a bhaint deireadh dúil' de mo chapall agus dá luach. Ach lean muid an capall agus go díreach ar aghaidh an chnoic, bhuail an fear an talamh lena shlait. I bpreabadh na súl, d'fhoscail an doras i dtaoibh an chnoic agus d'iarr an fear orm féin é a leanúint ach ar a bhfaca mé ariamh gan méar ná cos a leagan ná a bhualadh ar aon rud dá bhfeicfinn.

"'Bhí halla fada fairsing ann. Leis an eagla agus leis an iontas a bhí orm féin níl a fhios agam cén fad a bheadh ann, ach shiúil mé go faichilleach i ndiaidh an fhir suas ag tarraingt ar an tinidh. Ar gach taobh díom, bhí marcaigh fá airm agus fá éideadh ina luí ar an urlár ina gcodladh agus a chapall ina chodladh le hais gach fir acu. Comh luath agus chuaigh mo chapallsa taobh istigh den doras, thit seisean ina chnap chodlata fosta.

"'De chois na tineadh, bhí bean rua ina seasamh agus bord leagtha do bheirt aici. Shuigh mé féin agus an ceannaí síos ag an bhéile ba bhlasta a chaith mé ariamh agus nuair a bhí ár ndóthan ite, tháinig an bhean rua gur chuntas sí amach ar an bhord domh féin ina ór bhuí luach mo chapaill gan pighinn a chur leis, ná ceann a bhaint as. Chuir mé féin an t-ór go cúramach i dtaisce agus d'fhág slán ag an lánúin chóir. D'agair an fear mé ar ais faichill a dhéanamh gan rud ar bith a bhualadh go sroichinn an doras. Rinne mé gnoithe breá go raibh mé fá chúpla coiscéim don doras; ach leis an driopás agus an deifre 'bhí orm a bheith taobh amuigh de, goidé 'rinne mé ach capall acu 'bhualadh le barr mo bhróige.

"'Sula raibh an dara coiscéim tugtha agam, ní raibh marcach sa teach nach raibh muscailte agus de léim ar a chapall agus chuala mé glór an cheannfoirt os cionn seitreach na n-each agus tormán na gclaíomh ar shleasaibh na bhfear.

"""Chun catha, a Ghaela, nó tháinig an lá!" Agus glór bog binn na mná ruaidhe ina dhiaidh: "Chun suain ar ais, a Ghaela, níl ann ach fear ar cheannaigh Marcach an Eich Duibh capall uaidh." Sula raibh na focla críochnaithe, bhí iomlán ina gcodladh ar ais agus mise taobh amuigh den doras. Chuir mé mo lámh i mo phóca – bhí an t-ór ann.' Agus bhain Proinsias an baile amach gan ligean don fhéar fás faoina shálaibh."

Chluinfeá ciaróg ag siúl ar an bhalla, fhad agus bhí an seanduine ag scéalaíocht.

"Cén lá 'bhfuil siad ag fanacht leis, a Fheidhlimidh?" arsa Padaí Eoghain.

"Ó tá; an lá a mbeidh an briseadh mór deireanach idir Gael is Gall. Troidfear an cath sin in aice le Leifear. Beidh na Gaeil dá gcarnadh agus dá ruaigeadh; ach i ndeireadh an lae, tiocfaidh Marcach an Eich Duibh agus buíon Éadan an Chairn leis agus ní imeochaidh Gall ó léana an áir."

"Seo, fad is tá muid ag fanacht leis an lá, dófaidh muid dornán cnó," arsa Cormac Caol.

"'Chaoldromáin bhradaigh, ní bheidh tú gan an amaidí sin a bheith ag cur as duit ag milleadh mo thine," arsa Bríd.

"Agus," a dúirt Cormac gan a ligean air gur chuala sé Bríd; "seo tús! – Bríd Pheigí agus Feidhlimidh Fidileoir!"

Le linn seo a rá, ghlan sé giota den teallach ag taobh na gríosaí leis an mhaide bhriste agus leag dhá chnó ar an phaiste, á n-ainmniú mar siúd agus é á gcur síos. Tháinig bladhaire ar chnó Fheidhlimidh agus léim cnó Bhríde isteach go dtí na thaobh; tháinig bladhaire ar Bhríd agus mheasc an dá bhladhaire le chéile.

Bhí an t-aos óg ag seitgháire mar bhí siad, ach nuair a chuala siad Cormac ag rá, "Maise, mur aigeantach an mhaise do dhá bhaintrí é! 'Bhfeiceann sibh Feidhlimidh ag cur a láimhe fána coim agus Bríd ag déanamh croí isteach leis?" Phléasc siad leis na gáirí, agus ní thiocfadh le Bríd é a sheasamh níb fhaide.

"Amach as mo theach leat!" ar sise le Cormac. "Ag cur Fheidhlimidh na súl dearg agus na bpislín síos domhsa! An lá ab fhearr a bhí sé ariamh ní ligfinnse dó a lámh a chur fá dtaobh díom."

"Dá gcaillfí tú 'Fheidhlimidh," arsa Cormac, "éirigh agus póg í, agus fág bréagach í!"

Thug Bríd iarraidh ar an mhaide bhriste agus dá bhfuigheadh sí é, ba deacair a rá cé acu Cormac nó Feidhlimidh bocht a gheobhadh an chéad bhuille de; ach bhí sé sciobtha le Padaí Eoghain agus baineadh faoi Bhríd.

Ní raibh buachaill ná cailín ar an bhaile nár dódh cnónna daofa agus níor imigh duine acu gan a chuid den mhagadh; ach ghlac gach duine leis agus níor fhág sé loit ná gortú ina dhiaidh.

In am luí, fágadh Bríd léithe féin; agus nuair a bhí deireadh imithe, fuair sí faill amharc goidé a bhí ins an bheairtín a fágadh i ngan fhios ar mhullach an téastair. Fuair sí ann, mar a gheobhadh gach oíche cheann féile, bronntanas aois óig an bhaile, oiread tae, siúcra agus aráin mhilis agus a dhéanfadh a gnoithe go cionn seachtaine.

XI

Idir dhá Nollaig, bhí tachrán bliana le Domhnall Chaite ar lár. B'é seo an dara tubaiste a thit orthu i gcaitheamh míosa, nó chuir siad girseach bhreá dhóighiúil, seacht mbliana, i gcré in aicearracht roimhe sin; agus d'ainneoin nár chleacht aos óg an bhaile faire thostach a dhéanamh os cionn naíonáin, ní raibh focal as lomlán tí a bhí cruinnithe i dtigh na faire. Bhí bunadh an bhaile cruinn ann, cailíní ina suí ar stóltaí 'chois na mballaí, fir mheánaosta agus bog-sheandaoine ar chathaoireacha amach ar aghaidh na tineadh, agus buachaillí óga ar a ngogaidí nó sínte ar a bhfad i lár an urláir. Bhí an corp cóirithe sa chliabhán agus an cliabhán ina shuí istigh i leabaidh na cisteanadh.

Tháinig an t-athair ón tseomra agus thug sé fá deara an tost; agus ar seisean, agus é ag tógáil crág phíopaí a rannfadh sé ar na fir: "Nach mór a tháinig oraibh nach bhfuil focal agaibh! Is leor dúinne a bheith buartha agus déanaigí sibhse bhur ngreann. Seo dhuit, a Éamoinn, sín thart na píopaí sin taobh thíos díot."

Rinne Éamonn mar hiarradh air agus é ag freagar fir an tí san am chéanna.

"Tháinig bhur gcuid féin den tslait oraibhse, a Dhomhnaill, ach caithfear a theacht le toil Dé. Agus ar ndóigh, nach deas margadh an pháiste sin gur ghlaoigh Dia 'na bhaile air le taoibh é a bheith ag troid le saol suarach cnapánach i ngleann díblithe na ndeor seo!"

"Míle altú is buíochas do Dhia," arsa Domhnall; "ina dhiaidh sin, nuair a thig siad, ní maith le duine iad 'fheiceáil ag imeacht ar ais. Seo a bhuachaillí, croithigí suas sibh féin."

Ní raibh maith ann. Bhí croí athara íseal agus croí máthara cráite agus, d'ainneoin a gcliú, bhí aos óg an bhaile tuigsineach. Shuigh Domhnall ar chathaoir, uillinn ar cholbha na leapa aige agus a cheann crom ar a láimh. Goidé a chonaic sé i ngríosaigh dheirg na tineadh a thug air dearmad a dhéanamh go raibh Críostaí ar thóin tí ach é féin?

I gcionn tamaill, foscladh doras an tseomra ar ais agus rinne an mháthair bean ghaoil as baile isteach a chomóradh go dtí'n doras. Bhí rian an doilís ar a pearsain agus lorg an chaointe ar a gruaidh agus í ag pilleadh ón doras.

"Maise, mur sibh atá suaimhneach!" ar sise. "Nach bhfuil a fhios agaibh nach ngoilleann sé ar mo leanbh bocht," agus bhris a glór ar an fhocal agus tháinig an deoir ar an tsúil aici, ach chosc sí taom an chaointe agus lean sí léithe go briste, "sibhse bhur gcaint agus bhur gcomhrá a dhéanamh."

"Tá bliain mhór fhada againn le bheith ag comhrá, a Eibhlín," arsa Éamonn Eoin, "agus gan a bheith ag cur isteach ar bhur ndoilíos-sa leis."

"Is cosúil gur thit sé ar ár gcrannainne a bheith i ndoilíos i gcónaí," arsa'n mháthair.

"Ach níl neart air, níl neart air! Bhronn Dia orainn agus thug Sé uainn iad agus A thoil go raibh déanta." Thóg sí a naprún go dtí na súile, thriomaigh a deora agus bhreathnaigh an cruinniú.

"Tá'n oíche rófhada le caitheamh 'bhur dtost. Inis scéal, a Éamoinn, a ghearrfas an oíche don aos óg agus a thógfas cian dínn uilig."

"Maise, is deacair liom do dhiúltú ach d'imigh an t-am a raibh Éamonn ábalta scéal a inse," arsa Éamonn.

"Ní raibh tú ábalta aon scéal inse ariamh," arsa'n glór ag an doras, "agus ba deacair don am imeacht."

"Dá mbeifeá sa tír, a sheanrógaire mhóir," arsa Éamonn, "déarfainn gurbh é do ghlór a bhí ann, a Mhícheáil Shéamuis Mhícheáil."

"Tig aingle lena dtuairisc," arsa Mícheál ag teacht isteach fríd an teach.

"Agus an t-ainspiorad lena iomrá," arsa Éamonn dá fhreagar.

Shiúil Mícheál caol díreach go dtí'n tine, an áit a raibh Domhnall ina shuí agus Eibhlín ina seasamh.

"Níor mhaith liom bhur dtrioblóid," ar seisean go híseal leo, "agus cluinim nach trioblóid amháin a bhí agaibh."

"Tá a fhios againn sin," arsa Eibhlín.

"Níl mé ach i ndiaidh a theacht go díreach. hInseadh dúinn – bhí Domhnall Éamoinn liom – 'dtigh s'againne fán fhaire agus bhí mise le Domhnall go dtí seo."

"Creidim gur ar shéala bean a tharraingt ort atá tú ag pilleadh 'na bhaile fán am seo," arsa Antoin Óg thiar ar a chúl.

"Nach breá 'thomhais tú é!" arsa Mícheál, "cá mhéad a chuirfeas tú leis an chrudh a bhí tú 'thabhairt do Mháire anuraidh, agus dhéanfaimid an cleamhnas?"

Bhí Antoin buartha gur labhair sé, nó bhí a fhios ag an tsaol gur chuir sé fear maith agus áit suí sheascair de dhíobháil ar Mháire mar mhaithe le deich bpunta de bharraíocht de chrudh, agus ghoill sé air anois sin a inse dó.

Níor labhradh ar feadh bomaite agus thug fear an tí fá deara snamh ar Antoin. "Seo, a Éamoinn, nach raibh tú ar tí scéal a inse dúinn nuair a tháinig Mícheál isteach?" ar seisean.

"Níorbh é an chéad scéal a mhill mise é," arsa Mícheál agus gan a dhath aird aige ar an fheirg a chuir sé ar Antoin. "Chuir mé Pádraig Óg a dh'inse scéil lá sa tsamhradh seo chuaigh thart agus chead aige é a inse anois."

Bhí Pádraig sa chlúdaigh ina shuí go neamhbhuartha ag caitheamh a phíopa, agus ag comhrá le seanduine a bhí ag a thaoibh nuair a bhuaileadh an tallann é. Nuair a chuala sé iomrá ar a ainm, thóg sé a cheann gur thuig sé goidé a bhí ar siúl.

"Dá dtigfeá ní ba luaithe, chuirfeá iaróg ar cois," ar seisean. "Nach bhfuil a fhios agat gur sine Éamonn i bhfad ná mise agus gur air an chéad scéal."

San am seo ní raibh ar Éamonn ach eagla nach bhfuigheadh sé cead a ghabháil i gcionn an scéil roimh an phaidrín agus bheadh sé rómhall aige fanacht ag scéalaíocht ina dhiaidh sin. Ghlan Éamonn a sceadamán agus thoisigh sé.

"Go raibh slán don tsean-am, tá cuimhne agamsa nuair nach raibh aon teach ar an bhaile seo nach raibh thíos de chois na trágha ach teach Dhomhnaill Bhacaigh agus teach Eoin Thomáis Shíomóin. Bhí trí scór teach déanta thíos ar bhruach na farraige agus tá na ballógaí le feiceáil thíos ansin go fóill.

"I dtús m'óigese, agus ní inniu ná inné sin, bhí cailín óg ina cónaí ar an bhaile seo nach raibh a sárú ins na trí poibleacha le maiseacht agus le gnaoi. Ba chosúil gliondar a súl le gath na gréine maidin earraigh agus nuair a leathadh a béal ina mhiongháire agus nochtadh sí a déad geal, ghníthí dearmad de mhnaoi agus de chlainn. Ach nuair a bhíodh an lán mara cothrom leis na bruaich lá samhraidh agus thógadh Máire Ní Dhochartaigh a guth ag gabháil 'An bhfaca tú an Cúlfhionn?' sheasadh na fir ar an spád, leagadh na mná a stocaí lena dtaobh, choiscfí gleo na bpáistí ar imeall na mara agus d'éisteadh cách go deireadh leis an amhrán. Chuala siad go mion agus go minic an ceol céanna ach chuir guth binn na girsí draíocht ina timpeall agus nuair a stadtaí de bhualadh bos ag deireadh an cheoil, chluintí trasna na mara guth eile ag aithris uirthi agus bualadh bos ina dhiaidh. Thógadh seandaoine a hataí agus deireadh: 'I bhfad uainn gach urchóid!' nó bhí a fhios acu go raibh an slua sí ag tnúth agus ag éad le Máire.

"Bhí dáil agus bainis 'dtigh an Dochartaigh Mhóir agus plúr na mban óg ina banchéile ag Aodh Chonaill. Bhí Conall agus Sorcha Mhór óg agus lán tí de pháistí acu san am, agus d'ainneoin gur gealladh leath an talaimh d'Aodh nuair a bhí an cleamhnas dá dhéanamh, bhí air féin teach a thógáil. Nuair a fuair sé faill, chuaigh sé a sheiftiú na gcloch i Mín an Droighin fá choinne an tí; agus ní raibh seanduine ar an bhaile nár chomhairligh dó a bheith faichilleach agus gan an slua sí a thabhairt fá mhullach a chinn air.

"Bhí Mín an Droighin ar maos le siógaí i gcónaí ach d'ainneoin ar hinseadh d'Aodh fá uaisleacht na háite ní dhéanfadh a dhath maith dó, nó bhí sé righin dochomhairleach, ach a theach a thógáil ar an léana idir Lag na Ceárta agus an tráigh agus fios ag an tsaol gur ansin a ghníodh an slua sí rince oícheanna gealaí. Ba mhinic a chuala an té a chuaigh thar a chodladh seinm ó phíobaí sí agus gáir mheidhreach na ndamhsóir ag éirí ón léana sin idir meán oíche agus glao an choiligh. Ach ní éistfeadh Aodh le comhairle agus thóg sé a theach i lár an léana; agus má thóg, ní dheachaidh leis. Ón lá 'chuaigh sé a chónaí ann níorbh eol dó suaimhneas ná séan. Níor chruthaigh bó i rith an taca agus chuaigh gach rud ar chuir sé lámh ann, ina éadan.

"Níor luaithe Máire i gcionn a túirne ná thoisíodh céad túirne a shníomh faoi urlár an tí. Agus dá dtógadh sí a guth thar a hanáil i gceol, ní bheadh aici ach a cuid de. Bheadh ceol ag teacht as faoin urlár agus ó mhullach an tí; bheadh ceol ag gabháil thart ar an teach, isteach ar an doras agus amach ar an tsimléir. Ní nárbh ionadh, stad Máire den cheol.

"D'imigh seal mór blianta agus bhí Máire ar leabaidh chlainne. Cuireadh fios ar bhean ghlúin agus ar bhean an Dochartaigh Mhóir, agus chuir Aodh a chuid den tsaol ina muinín agus d'fhág an teach acu féin.

"Chuir Máire a huair thairsti agus bhí na mná ag caitheamh a scíste agus ag oiliúint an naíonáin idir sin agus bánú an lae. Bhí Máire fá shuaimhneas sa leabaidh agus na seanmhná á mhaíomh uirthi comh suaimhneach sócúlach agus a chuir sí an gábhadh thairsti nuair a chuala siad truisleadh inteacht ar a gcúl. D'éirigh an mháthair ar an bhomaite agus d'amharc sí ar an mhnaoi a bhí ag éileamh, agus bhain an t-amharc sin léim as a croí. An bhean a bhí go maith ina sláinte agus ar thit a codladh uirthi uair roimhe sin, bhí sí anois ins an smeach dheireanaigh, agus í ag saothrú an bháis! Agus an dreach agus an anchuma tháinig uirthi, munab ea go raibh a fhios aici gurbh í a níon a bhí ann ní aithneochadh a máthair féin í.

"San am chéanna chuala siad an tiorabuac, an callán agus an greadadh bataí ar an tráigh faofa. Os cionn na mbuillí agus an challáin, chluintí corruair glór buaite: 'Is linne í, is linne í!' Agus ag a dheireadh: 'Tá mise ar an chapall bhán,' i nglór mná. Mhuscail an gleo agus an callán bunadh an bhaile uilig agus le glanadh an lae d'éirigh siad amach go bhfeicfí goidé 'bhí ar cois. Bhí ceann na trágha stróctha, rómhartha uilig mar bheadh sé i ndiaidh tráthnóna iomána idir dhá bhaile, agus linnte fola thall agus abhus fríthe. Bhí lorgacha capall ar chos in airde le feiceáil ag imeacht ó pháirc na bruíne.

"'Bhí oíche rua ag na hógánaigh aréir,' arsa fear amháin 'cé bith a bhí ar cois!'

"'Bhí Máire Ní Dhochartaigh idir chamáin acu 'gabháil ó sholas de,' arsa a bhean, 'charbh fhéidir gurab é an t-oidhre 'bheadh scuabtha ar shiúl leo!'

"Ní raibh an focal as a béal nuair a d'éirigh an t-olagón caointe ag teach Aodha Chonaill taobh thall den tráigh agus thug an t-iomlán iarraidh air.

"Bhí an t-oidhre ansin, gasúr breá, urradh a athara agus gnaoi a mháthara táite ina phearsain bhig, ach bhí an mháthair síothlaithe. Ní raibh an scéal intuigthe; bhí sí go maith, thit sí ina codladh, mhuscail sí agus í ins an smeach dheireanaigh, mhair sí go dtáinig agus gur imigh an sagart agus bhí sí go díreach i ndiaidh síothlú. Sin a raibh d'eolas le fáil ina taoibh ach an mhíchuma a tháinig uirthi; ní raibh sí cosúil léithe féin ar chor ar bith.

"Rinneadh a faire agus a hadhlacadh. Thug an mháthair mhór léithe an tachrán; phill Aodh go tigh a athara agus druideadh an teach. Sílim nár foscladh ariamh ní ba mhó é. D'imigh an ceann leis an ghaoith mhóir oíche Sheáin Chonchúir, agus thit na ballaí go dtí nach bhfuil fágtha acu ach na cúpla cloch mhór a bhí i ndúshraith an tí.

"Ach le pilleadh ar an scéal, roimh chéadscairt an choiligh an mhaidin chéanna, bhí Éamonn Andrais thiar ar an Chruit amuigh, an áit a raibh sé ag coinneáil súil ar bhoin chun lao, agus chuala sé tormán cos in airde ag tarraingt air. An braon uisce choisreactha 'bhí sé 'thabhairt 'na bhóithigh chroith sé fá dtaobh de é agus ar an bhomaite, sheas capall bán, agus bean dhóighiúil ag marcaíocht air, lena thaoibh. Labhair an bhean, nó níor fágadh focal in Éamonn cé gur geabach fiche uair ó shin é.

"'Ní aithníonn tú mé, a Éamoinn,' ar sí, 'ach mise níon an Dochartaigh Mhóir, d'fhear gaoil, i Machaire Chlochair. Tógadh aréir mé ó leabaidh chlainne, throid slua sí Chonnacht agus siógaí an bhaile fá cé acu 'gheobhadh mé i ndiaidh mé 'fhuadach. Bhí'n bhuaidh leis na Connachtaigh agus tá mise ag tarraingt siar. Ach bliain ón oíche anocht, caithfidh siad mé 'thabhairt go tráigh Mhachaire Chlochair ar ais agus slua Mhín an Droighin a throid go húrnua sula dtigidh leo mé a choinneáil. Má thig mo chairde an oíche sin agus giota a ghearradh as mo fhalaing, bainfidh siad amach mé. Tabhair scéala do m'athair agus abair gurab é binneas mo cheoil a d'fhág mé.'

"Thug Éamonn an scéala chuig an Dochartach. Nuair a tháinig an oíche, chruinnigh a cairde gaoil, ach chros a hathair orthu fiacháil lena tarrtháil agus tá Máire i Mín an Droighin nó thiar i gConnachta ariamh ó shin ag seinm ceoil don tslua sí."

"Mo sheacht m'anam thú, a Éamoinn!" arsa Pádraig Óg. "Tá sé leat go tóin agus is maith chuige thú á inse."

"Maise, tá mé ag meath, níl an anáil ná an chuimhne agam a bhíodh," arsa Éamonn.

"Goidé'n duine Seán Chonchúir ar baisteadh oíche ar leith dó féin?" arsa Padaí Eoghain.

"Ó tá; fear muinteartha do Mhícheál anseo a bhí ann, agus an oíche 'bhí sé marbh níor fágadh cruach ar an bhaile nár tiontaíodh le gaoith mhóir. Cha raibh a leithéid ó shin ann," arsa Éamonn.

Canadh tuilleadh fán scéal agus fá na siógaí, ach fhad agus a bhí Éamonn ag scéalaíocht, tháinig Domhnall Éamoinn isteach agus lig sé rún leis an t-aos óg nach dtáinig Mícheál Shéamuis 'na bhaile ach ar chuairt naoi nó deich de laethe, go raibh a phasóid go Meiriceá tógtha leis agus gur ghearr go n-imíodh sé. Sula raibh an scéal críochnaithe ag Éamonn ní raibh duine ar an fhaire nach raibh an scéal aige agus lá arna mhárach bhí sé fríd an tír.

XII

Ní raibh a fhios ag Mícheál goidé mar a ligfeadh sé an scéal lena mhuintir nó bhí a fhios aige nach sásta a bheadh siad. Bhí sé ina shuí istigh an oíche arna mhárach agus é idir dhá intinn an dtráchtfadh sé air nuair a labhair a athair: "A Mhícheáil, an fíor an scéal a bhfuil muid ag éisteacht ó mhaidin leis – go bhfuil rún agat imeacht go Meiriceá?"

"Is fíor a athair, bhí mé go díreach ag gabháil a thrácht libh air."

"Maise, dá nglacfá comhairle athara, dhéanfá neamhiontas de Mheiriceá. Tá Meiriceá do sháith sa bhaile agat, agus is iomaí duine ariamh a chuaigh trasna na Farraige Móire nach bhfaca baile ná áit ariamh ó shin."

Níor labhair Mícheál. Níor chleacht sé ariamh cur in aghaidh an fhocail a deireadh a athair agus ní raibh a fhios aige goidé ba cheart dó rá agus a rá i gceart.

"In ainm Dé, a mhic," arsa an mháthair, "caith as do chionn é. Goidé 'dhéanfadh mo leanbh ar shiúl i measc coimhthíoch dá dtigeadh tinneas nó anás air agus goidé 'dhéanfas sinne anseo de do dhíobháil? Cuir as do chionn é go cionn chúpla bliain eile cé bith."

"Anois," arsa Mícheál, "ná bí ag déanamh na himirce níos cruaidhe domh. Ní maith liom a bheith ag gabháil in éadan bhur gcomhairle, ach tá mo phasóid tógtha agam agus é socair go seolfaidh mé seachtain ón tSatharn seo chugainn. Níl beaguchtach ar bith orm ag gabháil i gcionn an bhealaigh, agus nach fearr domh imeacht cúig nó sé de bhliana agus rud inteacht a bheith ar son mo shaothair agam ná mo shaol a chaitheamh anonn agus anall go hAlbain agus mé a bheith comh bocht ag deireadh mo shaoil agus tá mé ag a thús. Ní bheidh cúig nó sé de bhliana i bhfad ag gabháil thart agus beidh mé chugaibh ar ais, le cuidiú Dé, agus b'fhéidir mo sháith liom."

Níor dhúradh ní ba mhó. I gcionn tamaill, chuaigh Mícheál amach a dh'airneál. Agus thug Máire fá deara a máthair ag cuimilt a súl, agus chuala sí osna nó dhó as a hathair ó sin go ham luí.

Lá arna mhárach chuaigh an mháthair chun tsiopa gur cheannaigh sí beairtín mór d'éadach taobh istigh a bheadh de dhíobháil ar Mhícheál in aghaidh an bhealaigh. Bhí snáth olna léithe fosta, agus thoisigh sí comh luath agus a phill sí lena cuid dealgán a dhéanamh stocaí don taistealaí. An dtuigfeadh Mícheál a choíche na deora a rinne rigín agus na paidreacha a rinne cúnglach do na stocaí sin!

Bhí Mícheál fá dhá lá do bheith ag imeacht. I ndiaidh am dinnéara, dúirt an mháthair leis:

"A Mhícheáil, a thaisce, ar chuir tú an rún amaideach seo as do chionn go fóill?"

"Goidé'n mhaith duit a bheith ag caint mar sin anois, a mháthair?" arsa Mícheál. "Nach gcaithfidh duine saothrú de thaoibh inteacht, agus níl tusa sásta mé a bheith crochta leis an fharraige, agus níl tú sásta go rachainn go hAlbain agus goidé ba mhian leat mé 'chur a dhéanamh? Ar scor ar bith, dá dtéinn ar mo chúl anois ann, goidé mar thógfainn mo cheann an dá lá shaol a bheadh agam leis an méid magaidh 'dhéanfaí orm?"

Ní thug an mháthair freagar ar an cheist, agus thiontóidh Mícheál ar shiúl a cheann nó bhí barúil aige go raibh an deoir ar shúil a mháthara ar an bhomaite sin.

"'Tharla gur mar sin atá," ar sise sa deireadh, "ná nach

bhfuil tú ag brath ruaig a thabhairt thart ar do chuid daoine muinteartha nó beidh cuid acu, ar scor ar bith, nach bhfeiceann tú choíche ar ais."

"Bhí mé go díreach ag smaointeadh sin a dhéanamh," arsa Mícheál; "ach b'fhearr domh cuid de mo cheirteach a chur i gcionn a chéile a' chéaduair, nó ní bheidh mórán faille an chuid mhór a dhéanamh amárach."

Tugadh an bocsa úr, a bhí le Mícheál ar a philleadh as Albain, chun tosaigh, fuair an mháthair na héadaí taobh istigh a sholáthair sí le seachtain roimhe sin, agus thoisigh ar líonadh an bhocsa leo. Dá mba chónair an bocsa agus taiséadach ceirteach Mhícheáil, ní thiocfadh le crá na máthara a bheith mórán níos mó. Nuair a bhí deireadh istigh tharraing sí beart beag eile ó mhullach an téastair, scaoil sí amach é, agus shín chuig Mícheál é.

"Seo dhuit," ar sise, "cuir sin fá do mhuineál. Scaball donn na Maighdeana Muire atá ann; agus ná bí choíche gan ceann acu ort le tú a shábháil ar gach gábhadh agus contúirt a mbeidh tú ann. Tá bonn agus 'Agnus Dei' sa taoibh sin agus tá gráinnín beag de chréafóig Ghartáin ins an taoibh eile, agus nuair a bheas an scaball seo caite agat, bain an chréafóg, an bonn, agus an 'Agnus Dei' amach agus cuir i gcionn úr iad, agus ná déan dearmad an seancheann a dhódh. Sábhálfaidh créafóg Ghartáin ar dhódh agus ar bháthadh thú mar shábháil aroimhe is gan é i bhfad ó shin."

"'Bhfuil tú ag déanamh go bhfuil sé ceart seanscaball a dhódh?" arsa Mícheál.

"Tá sé ordaithe," arsa'n mháthair; "agus seo rud a chonaic mé le mo dhá shúil féin. Nuair a bhí mise 'mo ghirsigh bhig, tháinig Seán Beag a bhí ina chónaí sa doras againn isteach 'dtigh s'againne lá. Dúirt sé go ndearn sé brionglóideach an oíche roimhe sin go dtáinig deirfiúr a athara, a bhí marbh curtha le deich mbliana fichead, agus gur iarr sí air amharc ina leithéid seo d'áit ar ár gcuid talaimhinne agus go bhfuigheadh sé taobh scabaill istigh i dtom caonaigh ann agus é an scaball a thabhairt leis agus a dhódh agus a bheith ag guí ar a son. Rinne m'athair, grásta air, a luach de mhagadh ar Sheán nuair a dúirt sé go raibh sé ar a bhealach á chuartú, ach chuaigh sinne leis. Bhí an tom caonaigh ansin ceart go leor ach sháraigh orainn scaball nó rud eile 'fháil ann. Bhí muid ag imeacht nuair a chuir Seán a lámh fríd an tom ar ais os coinne ár súl agus thóg sé aníos taobh scabaill comh húr leis an chionn sin fá do mhuineál. Chonaic mé féin sin agus, ar dhóigh ar bith, chuala muid ariamh gur cheart seanscaball, a bheifeá a chaitheamh díot, a chur sa tinidh."

"Goidé tá sa bhuidéal sin?" arsa Mícheál ag amharc ar a mháthair ag cur buidéal leathphionta ins an bhocsa.

"Tá braon beag d'uisce Thobar an Dúin ann agus coinnigh i gcónaí fá dtaobh díot é. Sin coróin Mhuire úr fosta. Choisreac an Sagart Mór domh í ar maidin i ndiaidh an Aifrinn, agus ná déan dearmad fad agus a bheas tú beo, an paidrín a rá sula dté tú luí, agus tú féin a chur i gcoimirce Dé agus a Mháthara ag éirí duit. Seachain droch-chuideachta; agus de réir mar chluinim, beidh go leor ansin de – daoine a chaill a gcreideamh agus nach n-umhlaíonn glúin do shagart nó do Dhia. Fan uathu, agus ná caill an tAifreann Dé Domhnaigh má thig leat é, agus ná déan dearmad ar fhaoiside a dhéanamh ná ar Chomaoin Naofa a ghlacadh go minic mar ghnítheá ins an bhaile anseo. An bhfuil tú ag éisteacht liom?"

"Tá, a mháthair," arsa Mícheál. "Ní heagal duit mé an creideamh a chailleadh. Saibhreas, agus ní creideamh úr a bheas mé a lorg."

"A chroí," deir an mháthair, "sin an áit a bhfuil an chontúirt!"

XIII

Bhí Mícheál Shéamuis Mhícheáil ag imeacht go Meiriceá lá arna mhárach. Ó bhí am dinnéara ann bhí daoine as baile isteach ag tarraingt go tigh Shéamuis a dh'amharc ar Mhícheál. Bhí teaghlach Shéamuis cruinnithe fán tinidh nuair a bhuail Bríd Rua, seanbhean bheag chaite, isteach le "Bail ó Dhia anseo."

"Dia is Muire dhuit," arsa Maighréad dá freagar. "Gabh aníos ar d'aghaidh agus seo stól beag anseo ag taoibh na leapa."

"Dhéanfa' mé cúis bhreá anseo," arsa Bríd ag suí le taoibh an bhalla bhig.

"Cha déan tú gnoithe ansin ar chor ar bith," arsa Séamus. "Suigh isteach chun na tineadh anseo, agus an lá tá ann!"

"Tá lá fuar caillteach ann, maise," arsa Bríd, ag gabháil chun na tineadh agus ag suí ins an chlúdaigh.

Chuir Séamus beo ar a phíopa, agus bhain toit nó dhó as, gur chuir sé fá ghal i gceart é. Ansin shín sé chuig Bríd é, agus d'iarr uirthi toit a chaitheamh. Chuir Bríd an píopa ina béal agus chaith sí cúpla toit as sular shín sí ar ais é.

"Caith!" arsa Séamus.

"Rinne mé measaracht," arsa Bríd. "Ní thig sé domh."

"A Mhícheáil, a thaisce, tá tú ag imeacht, rath ort?" ar sise ansin.

"Tá," a dúirt Mícheál, agus bhí am agus déarfadh sé: "An bhfuil smaointeadh ar bith agat a bheith liom?" Ach bhí cumhaidh fríd an teach, agus níor dhúirt Mícheál ach "Tá."

"Bhal, a thaisce, go n-éirí do shiúl leat," agus thug sí beairtín beag comair as faoina seál. "B'fhéidir go mbeifeá ábalta an beart beag seo a chur i gcoirnéal inteacht agus a thabhairt anonn chuig Peadar. Abair leis nach bhfuil amharc na súl comh maith ag a mháthair agus a bhíodh, agus go mb'fhéidir go bhfuil lúb ar lár iontu thall agus abhus ach coinneochaidh siad a chosa te ins an fhuacht seo. Inis dó go bhfuil muid uilig go maith agus go raibh barr breá againn i mbliana, buíochas do Dhia."

Bheir Mícheál ar an bheart agus dúirt, "Maith go leor, a Bhríd."

"Sin daoine eile ag tarraingt oraibh," arsa Bríd, "agus beidh mise ag imeacht."

"Tá tú in am go leor," arsa Maighréad. "Fan agus ól dhá dheoir de seo," agus thóg sí an seáspán tae a bhí sí i ndiaidh a fhliuchadh i gcois na tineadh. Ach ní fhanóchadh Bríd.

"Maise, choimrí Dhia thú i do shiúl," ar sise, ag croitheadh láimhe le Mícheál, "agus creidim nach bhfeiceann tú aon amharc eile ar Bhríd a choíche ar ais."

D'imigh Bríd agus tháinig Éamonn Eoin agus cúpla bean isteach. Shuigh siad thart agus rinneadh mionchomhrá ar feadh tamaill.

"'Mhícheáil," arsa Éamonn, "má théid agat tuairisc ar bith 'fháil ar Eoin s'againne, má tá an duine bocht beo ar chor ar bith, cuir scéal chugam fá dtaobh de. Agus ar ndóigh, bheinn sásta dá gcluininn fá dtaobh de, beo nó marbh."

"Is fada ó fuair tú a thuairisc anois?" arsa Séamus.

"Ní bhfuair muid scolb ná scéala air le sé bliana agus, leoga, creidim gur marbh atá sé."

"Ní heagal dó," arsa bean de na mnáibh, "tiocfaidh sé lá inteacht agus a sháith leis."

"Ba mhaith a theacht ar phócaibh folmha féin," arsa

Éamonn; agus níor canadh níos mó ina thaoibh. Bhí daoine ag teacht agus ag imeacht i rith an tráthnóna agus roimh a ghabháil ó sholas de bhí moll beairtíní ag Mícheál le tabhairt leis – scaball ag gabháil chuig an duine seo, leabhar urnaí chuig an duine úd, bheiste cniotáilte chuig duine eile, agus dá réir sin go dtí go raibh Mícheál chóir a bheith cinnte nach gcuimhneochadh sé ar a leath a choíche.

I ndiaidh a ghabháil ó sholas, chruinnigh an t-aos óg agus nuair a chuir Tomás Dhonnchaidh a cheann isteach ar an doras agus na píobaí faoina ascaill, chuaigh na seandaoine a bhogadaigh ar shiúl i ndiaidh a mbeannacht a fhágáil ag Mícheál. Nuair a bhí Bríd Pheigí ag imeacht, fuair sí greim dhá lámh air, phóg sí gach ceann acu agus ghuigh sí a beannacht, beannacht baintrí, i ngach am agus i ngach cearn, a beannacht féin agus beannacht Dé a bheith i gcónaí fána chionn.

"Cha raibh dochar duit a ndearn tú de bhobaireacht uirthi ariamh," arsa duine inteacht.

"Mo leanbh bocht!" arsa Bríd ag imeacht.

Réitíodh an chisteanach agus, áit nach bhfaca aon duine coiscéim damhsa á dhéanamh ariamh, toisíodh a rince go meadhrach le seinm na bpíob i dtigh Shéamuis Mhícheáil. Thóg Mícheál Síle Rua ar an chéad chúrsa agus má bhí cumhaidh i gcroí ceachtair acu níor thaispeáin siad é agus súil a raibh sa teach ar an phéire i lár an urláir. B'fhéidir go dtí sin nár tugadh fá deara comh dóighiúil dea-chumtha agus a bhí Síle nó comh ligthe gasta urrúnta agus a bhí Mícheál. Ní raibh iontas bean ar thaoibh den teach á rá: "Nár bhreá an lánúin a dhéanfadh siad!" Agus bean ar an taoibh eile: "Tá a sháith den óige leis, ar dhóigh ar bith." Lean an damhsa ó sin go ham luí domhain. Ansin hiarradh ar Shíle Rua amhrán a rá agus dúirt agus cumhaidh ina glór.

"Rinne mé smaointeadh i m'intinn
Agus lean mé dó go cinnte,
Go n-éalóinn ó mo mhuintir,
Anonn 'an Oileáin Úir.
Nuair a chonaic mé na daoine
Ansin a rinne mé smaointeadh
Gur mhéanar a bheith in Éirinn
Is mé sínte ann faoi chlár –
Áit a bhfuighinn ann lucht mo chaointe,
Aos óg a bheadh go caoithiúil
A chaithfeadh liomsa oíche
Agus páirt mhór den lá."

Nuair a shocair an bualadh bos agus an moladh ar amhrán Shíle, d'fhág an píobaire slán agus beannacht ag Mícheál agus scab an chuideachta.

Shiúil Mícheál amach leo agus nuair a bhí deireadh imithe sheas sé bomaite a chomhrá le Síle Ruaidh sular phill sé.

"Tá'n oíche dheireanach agam i Machaire Chlochair, a Shíle, agus ag Dia tá a fhios an gcaithfidh mé oíche eile choíche ann," ar seisean.

"Ná bíodh beaguchtach ort, a chailleach," arsa Síle. "'Bhfuil cumhaidh ort?"

"Ní de mhéad is tá cumhaidh orm ach goilleann sé orm m'athair agus mo mháthair 'fheiceáil comh cráite is tá siad."

"Is iad is fearr ar bith atá," arsa Síle. "Níl siad ag ligean cuid mhór orthu féin."

"Níl, os mo choinnese," arsa Mícheál, "agus ina dhiaidh sin, tá a fhios agam go maith go bhfuil an croí dá fháisceadh i ngach duine acu dá thairbhe."

D'imigh osna ar Shíle dá hainneoin. Dá dtuigeadh Mícheál

an t-iomlán a bhí croí eile dá fháisceadh fosta.

"Slán codlata dhuit," ar sise ag imeacht.

"Go mb'é dhuit," ar seisean agus bhain an baile amach. Bhí an teaghlach ag fanacht leis agus chaitheadar uilig a suipéar i gcuideachta. Nuair a bhí sin déanta, bheir an t-athair ar an choróin Mhuire a bhí crochta ar an bhalla le taoibh na leapa agus ar seisean: "Tá muid cruinn le chéile uilig i gcuideachta agus b'fhéidir go mb'fhada ar ais go mbeadh, agus in ainm Dé, abraimis an paidrín le Dia sinn a stiúradh ar bhealach ár leasa agus ár sábháil in éadan námhad anama is coirp ach go háirid an té tá ag imeacht as na réigiúin."

Chuir an t-athair ceann air, dúirt gach duine go fiú Antoin beag, comh maith agus a tháinig leis, deichniúr, agus ansin chuaigh an teaghlach fá shuaimhneas muna ndeachaidh fá shuan.

Chruinnigh na daoine ar maidin ar ais le Mícheál a chomóradh cuid den bhealach. Chuaigh na seandaoine isteach chun tí gur fhág siad slán aige, ach sheas an t-aos óg taobh amuigh. Tháinig an t-am le himeacht. Chuaigh Mícheál chun tseomra agus lean a mháthair é. Thug sí aire go raibh gach rud leis ina bhocsa, "agus ná déan dearmad," ar sise, "ar d'urnaí a rá agus a ghabháil chun faoiside agus chun comaoineacha. Agus bí cinnte agus scríobh 'na bhaile comh minic agus 'thig leat."

Bhí Mícheál réidh, shín sé a lámh chuig a mháthair. Bheir sí ar a láimh, tharraing sí chuici é, chaith a dhá láimh fána mhuineál agus d'fháisc lena croí é. "A mhic, agus a mhic!" agus níor fhéad sí níos mó a rá. Phóg sí gruaidh Mhícheáil agus an rud nach ndearn seisean ó d'fhág sé na cótaí ina dhiaidh, phóg sé a mháthair. Rinne sé an rud céanna le hAntoin agus le Máire sa chisteanaigh, agus shiúil amach an doras agus a cheann crom, agus é ag séideadh a ghaosáin. Tugadh amach an bocsa, cuireadh ar an charr é, agus bhog an t-iomlán leo go stad na traenach. Ag coradh an bhealaigh mhóir, d'amharc Mícheál ina dhiaidh. Bhí a mháthair taobh amuigh den teach, Antoin agus Máire agus cuid de na comharsanaí lena taoibh, agus iad uilig ag amharc ina dhiaidh. Sheas sé, thug amach haincearsan agus chroith é. Rinneadh mar an gcéanna leis. Shiúil sé giota eile go raibh sé go díreach ag gabháil as amharc an tí; thiontóidh sé ar ais agus chroith ar ais. An dara bomaite, bhí sé as amharc. Scab na comharsanaí fána ngnoithe, ach sheas an mháthair ag coimheád agus ag síorchoimheád i ndiaidh a mic a bhí imithe as amharc. "Faraor géar," ar sise sa deireadh, bhain an teach agus an seomra amach gur shil sí tuile deor ar an cheannadhairt ar chodail Mícheál air an oíche roimhe sin. Fuair Máire ar a glúinibh í os coinne phioctúir na Maighdeana Muire agus a coróin Mhuire ar a méara aici am inteacht ina dhiaidh sin.

Shroich Mícheál agus a chuideachta stad na traenach; chruinnigh an t-iomlán fá dtaobh de, chroith gach duine lámh leis; dúradh "Ádh mór ort," agus "Choimrí 'n Rí thú," ach níor dhúirt Mícheál dadaidh ach a chár druidte go teann ar a liobar íochtarach aige. Nuair a shín sé a lámh chuig Síle Ruaidh, bhí na deora ag rith lena gruaidh agus níor labhair sí, ach chrom sí a ceann agus phóg lámh Mhícheáil. "Slán agat, a Shíle," arsa Mícheál go briste. Bhí sé ar bord, a cheann amach ar an leath-dhoras aige, a lámh i láimh a athara agus é ag éisteacht leis.

"Mo bheannacht leat, a mhic. Ná déan a choíche aon rud a lasfadh do ghruaidh féin nó 'bhainfeadh náire as do mhuintir. Agus má sháraíonn tú den tsiúl, coinnigh cuimhne fad agus tá díon os ár gcionn sa bhaile go bhfuil míle fáilte romhat ann."

Bhí an traein ag bogadh.

"Slán agat, a athair," arsa Mícheál.

"Slán go dté tú a mhic," arsa an t-athair.

Chuaigh an traein faoi shiúl. Sheas Mícheál crochta amach ar an leathdhoras ag croitheadh a láimhe leis an scaifte ar an ardán, scuab an traein thart coradh, bhí an scaifte as amharc, tharraing Mícheál isteach a cheann, shuigh síos, chrom a cheann ina lámhaibh, agus thug cead sréin do na deora a bhí sé a chosc ó d'fhág sé slán ag a mháthair ar maidin.

Fríd a dheoraibh, chonaic sé a mháthair ina seasamh go truacánta ar aghaidh an tí inar tógadh é. Chonaic sé Máire bheag agus an deoir ar a súil agus Antoin agus cuma air nár thuig sé goidé a bhí ar cois. Chonaic sé a athair agus a ghiallfaigh dúnta go teann ar a chéile agus mhothaigh sé an greim cruaidh ar a láimh. Tháinig Síle Rua ina intinn, fosta. Síle bhocht! Goidé a bhí roimhe? Ag Dia a bhí a fhios ach ní raibh sé comh dóchasach as féin agus bhíodh nuair a smaointeadh sé ar an imirce chéanna le sé mhí roimhe sin.

XIV

Teaghlach beag uaigneach a shuigh chuig a ndinnéar i dtigh Shéamuis Mhícheáil an lá sin. Bhí áit fholamh ag ceann an bhoird. D'ith Máire agus Antoin mar ba ghnách, lig Séamus air a bheith ag ithe, ach níor ith Maighréad greim. Bhí cothú sa chumhaidh a bhí ag ithe croí na máthara agus níor dhea-anlann an t-ocras croí a bhí ar athair a chonaic a mhac ag imeacht leis na mílte míle i gcéin.

Níor luaithe an béile caite ná thug Séamus iarraidh amach a thimireacht thart fán teach lena intinn a thógáil ón chumhaidh; agus fágadh an mháthair agus an bheirt pháistí leo féin. Go fuar fadálach a thit an tráthnóna ar chrá croí na máthara. Uair a chuala sí Máire agus Antoin ag amhthroid le chéile ar sise, "Stadaidh den troid sin agus smaointigh ar an deartháir a d'imigh uaibh, agus go mb'fhéidir nach bhfeicfeadh sibh a choíche ar ais é," agus tharraing sí osna mhór.

Nuair a chuaigh sé ó sholas bhuail Antoin Óg isteach a dh'airneál. Níor theach mór airneáil teach Shéamuis, ach thógfadh comhrá an intinn ón bhuaireamh agus tháinig cúpla seanduine eile isteach fosta.

"Tá sibh go huaigneach air anocht," arsa Antoin.

"Uaigneach go leor," arsa Séamus, "dá mbíodh neart air."

"Ba bheag a bhí muid uilig ann," arsa Maighréad, "agus nuair a d'imigh duine ní féidir gan a chrothnú."

"Nach deas a mhargadh," arsa Antoin, "i bhfarradh is a bheith ag spailpíneacht anonn is anall go hAlbain i rith a shaoil agus gan cuid mhór de bharr a shaothair aige."

"Dá mbíodh sé in Albain," arsa Maighréad, "bheifí ag dréim leis teacht an gheimhridh, agus dá mbíodh anás air b'fhurast a ghabháil fhad leis; ach anois tá mo leanbh bocht i lúb na gcoimhthíoch dáiríribh."

"Tá'n óige agus an tsláinte aige," arsa Antoin, "agus níl sé fuar nó falsa le lá oibre a dhéanamh agus ní heagal dó a theacht i dtír is cuma cá mbeidh sé."

"Tá – óige go leor leis," arsa'n t-athair. "Ní bheidh sé bliain agus fiche go Féile Bríde seo agus i dtaca le sláinte de, míle altú do Dhia, níor mhothaigh mé pian thinnis ariamh air."

"Maise, ba é 'bhí anmhailíseach!" arsa Domhnall Chaite ag cur a theangtha ins an tseanchas.

"Bhí sé crosta," arsa'n mháthair, "agus muna dtuga a chrostacht i dtrioblóid é leis na coimhthígh, tá rómhaith."

"Lá fad ó shin idir Féile Eoin agus Lúnasa, bhí mé thoir úd ar Ard an Ghainimh. Bhí sé ann, go raibh slán dó, agus é ag buachailleacht, é féin agus ógánach eile inchurtha leis, Domhnall Eoghain thuas anseo. Ní raibh cliú rómhór ar bhuachaillí bó an Aird as a mbuachailleacht ariamh agus ní raibh Mícheál nó Domhnall níb fhearr ná duine eile, muna raibh ní ba mheasa.

"Bhí giota deas prátaí ag Ruairí Bán in aice chuid talaimh Shéamuis anseo agus fad agus 'bhí na buachaillí ar a bplé – sílim gur amuigh ag snámh a bhí siad – bhí na ba ar a gconlán féin agus d'ith siad paiste mór de chuid prátaí Ruairí.

"Ba ghnách le Ruairí ruaig a thabhairt chun Aird gach tráthnóna a dh'amharc ar an bharr; agus mo dhálta féin air, bhí sé colgach drochmhúinte go maith, agus an té 'ligfeadh a chuid a mhilleadh d'fhéadfadh sé na bonnaí 'bhaint as. Bhí a fhios ag an phéire seo; agus nuair a chonaic siad goidé mar bhí, bhí siad i gcruachás.

"Fá chionn tamaill, thug mé féin fá deara iad gnoitheach i gceart i gcuibhreann na bprátaí agus siúd anonn mé go bhfeicinn goidé 'bhí ar cois. Bhí lorgacha an eallaigh millte amach as na hiomaireacha acu agus Mícheál agus leath crú capaill aige, ar a dhá ghlúin ag déanamh lorgacha leis an chrú comh gasta agus a tháinig leis. Bhí beithíoch Shéamuis Tharlaigh ar téad giota taobh ba thuas de na prátaí agus thug Mícheál ordú do Dhomhnall a ghabháil agus cuid d'aoileach an bheithígh a thabhairt anuas agus a chaitheadh ins na prátaí. Rinneadh sin agus ba mhaith an mhaise do Dhomhnall é, nuair a bhí sé thuas ag an bheithíoch, tharraing sé an téad amach ó bharr an bhacáin. Nuair a fuair an capall a cheann leis, d'ith sé anuas an áit a raibh cluain mhaith 'chois na díge 'bhí idir cuid talaimh Shéamuis agus cuid prátaí Ruairí.

"Bhagair mé féin inse orthu; ach go maithe Dia domh é, chonacthas domh gur mhór an truaighe cleas comh healaíonta leis a mhilleadh.

"Mar bharr ar an chuideachta, tháinig Ruairí a dh'amharc ar na prátaí agus Séamus fá dhéin an chapaill fán am chéanna, agus d'fhéadfá a rá gur sin an áit a raibh an tráthnóna agus an dá chroíán ina suí agus soc ar gach duine acu comh soineanta i gcosúlacht le haingeal an fhómhair."

"Mo leanbh bocht," arsa Maighréad agus bród uirthi as cleasaíocht a mic fríd a doilíos croí.

"Leoga, 'Dhomhnaill," arsa Tomás Shéamuis, "bhain sé rásaí go leor asat féin oíche amháin agus tú tógtha go leor dá thairbhe."

"Cé huair sin?" arsa Domhnall.

"Oíche cheann Féile 'bhí ann, tá cúpla bliain ó shin," arsa Tomás, "agus bhí siúl mór aois óig, agus corr-sheanduine fosta nó bhí mise ann, ar an bhealach mhór. Thug Mícheál, go n-éirigh a shiúl leis, thug sé leis méaróg mhaith mhór cloiche agus cheangail sé sreangán láidir thart uirthi. Chuaigh sé suas gur shín é féin ar rigín an tí s'agatsa os cionn an dorais. Bhí an oíche leathdhorcha agus leis an luíochán a bhí air, ní thabharfaí fá deara é. I gcionn tamaill chuaigh cúpla buachaill thart an bealach mór agus le sin féin buailidh Mícheál cúpla tailm den chloich ar an doras. Ba leor sin. Bhí Domhnall, agus dheamhan a fhios agamsa goidé'n t-acra bhí ina láimh leis, amuigh ar thóir na mbuachaillí sin, nár chuir chuige nó uaidh. Fiche uair ó sin go ham luí, thug sé Domhnall amach i ndiaidh daoine 'bhí ag gabháil an bealach mór go soineanta neamhbhuartha go dtí go raibh sé ina chiafairt déanta aige. Agus i ndiaidh sin a dhéanamh leis, shiúil sé isteach chuig Domhnall go ndearn sé leathuair airneáil aige gan oiread agus ribe a bhogadh ar a chionn."

Rinneadh gáire faoi Dhomhnall.

"Maithim," arsa Domhnall, "a chuid den bhobaireacht do Mhícheál; ach cá raibh tusa, a d'fhéad a bheith in aois céille feasta, cá raibh tú fad agus bhí an chuideachta ag gabháil ar aghaidh?"

"Tá, leabhra, i mo shuí 'chois na tineadh agat ag coinneáil comhráidh leat i ndiaidh gualainn a chur le Mícheál suas ar an teach. Ní raibh a fhios agam goidé 'bhí faoi, ach charbh fhearr liom oíche ag fidileoir ná a bheith ag amharc ar an bhail a chuir sé ort nuair a bhí a fhios aige tú a bheith comh hamaideach agus go ndéanfá a leithéid."

"Is maith an té a ghníos a ghnoithe dó féin," arsa Domhnall go searbh colgach.

"Cén aois atá tú anois, a Thomáis?" arsa Séamus, ag athrach an scéil nuair a chonaic sé Domhnall ag lasadh suas.

"Tá: sé bliana déag agus dá fhichid san fhómhar seo chuaigh thart," arsa Tomás.

"Ó shílfinn nach bhfuil tú an oiread sin," arsa Antoin Óg.

"Síl do rogha rud," arsa Tomás, "ach siúd aois Thomáis. Bhí Séamus s'againne – nach minic a chuala mé mo mháthair ag caint air – ag buain faoin teach nuair a tháinig uirthi. Agus chaith Tomás Féile Pádraig ina dhiaidh sin i bpríosún Leifear – chaitheas, bhal."

"Goidé a chas i bpríosún comh luath sin i do shaol thú?" arsa Maighréad go hiontach.

"Tá, bhí Seán Dubh, sin athair Thomáisín thiar anseo, ina bháillí ag an tiarna agus bhí an tiarna ag tógáil Ceart Eaglaise ar an phobal agus na daoine ag cur ina éadan. Bhí Seán ag fógrú na ndaoine agus a leath fógartha aige nuair a thángthas air thuas ag Cnoc an Stollaire. Baineadh de na fógraí 'bhí leis, agus sáitheadh síos go dtí na mhuineál i bpoll maide é. Mná a tháinig air, suas le scór acu, agus a fallaing go dlúith fána haghaidh ag gach bean acu. Thug siad air na fógraí a ithe agus mionna milltineach a thabhairt nach dtabharfadh sé aon fhógra eile den chineál uaidh fad beo é, sular ligeadh aníos as an pholl é. Choinnigh sé a mhionna ach mhionnaigh sé ar na mnáibh, agus fuair mo mháthair mar bhean a dhá mí agus cuireadh an naíonán léithe 'na phríosúin go Leifear; agus sin agat mar 'chaith Tomás a chéad Fhéile Pádraig i gcúram na Banríona."

"Tchí Muire sin!" arsa Maighréad.

"Ba mhinic ó shin a ba chóir tú a bheith istigh," arsa Domhnall Chaite agus dearmad déanta aige den scéal a hinseadh ina éadan féin.

"Bhí na mná ina n-óganaigh i gcónaí," arsa Séamus, "chuir siad drochbhail ar fhear Chloich Cheannfhaola féin nuair a tháinig sé a thabhairt próistí uaidh in am an tSagairt 'ic Pháidín."

"Chuir, mo chúise!" arsa Domhnall, "agus gan aon fhear

ann ó bhun go barr Ghaoth Dobhair an lá céanna. I ndiaidh a shuaitheadh aniar agus siar i bpoll lábáin go dtí nach n-aithneochadh a mháthair é, bhain siad de gach tuint dá raibh air, agus chuir ar chos in airde soir an tArd Donn é féin agus a chuid próistí, a cheirteach faoina ascaill leis agus madaidh an bhaile sa tóin aige. Chuir sin deireadh leis na próistí."

"Bhí am saoithiúil ann san am sin fosta," arsa Antoin Óg. "Bhí muid ar ár seachnadh i ndiaidh an Mháirtínigh agus scaifte againn i dteach inteacht nuair a tógadh an gháir go raibh na péas ag tarraingt orainn. Theith muid an méad a bhí inár gcnámha síos fríd chuibhrinn agus chlaíocha chun na farraige. Bhí Séarlas Bacach sa ruaig, agus thit sé agus é ag gabháil thar chlaí agus ar seisean amach óna chroí, 'Maise, scrios Dé ar Pharnell!' Ba é Parnell ar ndóigh ba chiontaí leis an 'lan-léig' a bheith againn ar chor ar bith."

"Chan de bhriseadh do scéil é, 'Antoin," arsa Séamus, "ach an bhfuil tú ag meas gur Ceart Eaglaise 'bheadh Seán Dubh a thógáil nuair a tháinig tusa chun tsaoil?"

"Ba é, cinnte," arsa Tomás.

"Tá mise ag déanamh gurab é Cáin na gCaorach Brocach a bheifí 'thógáil san am. Níor tógadh deachú ar bith comh mall sin sa phobal seo," arsa Séamus.

"Tá mise ag déanamh an ruda chéanna leat," arsa Domhnall; agus fá choinne gan cead ní ba mhó cainte a thabhairt do Thomás, lean sé leis, "ach tá sé ag éirí déanach agus an t-am ag an teaghlach seo cead 'fháil a ghabháil fá shuan," agus d'éirigh sé ina sheasamh ag imeacht.

"Leoga, tá sibh in am go leor," arsa Maighréad, "agus thóg an comhrá cian dínn ó tháinig an oíche."

Shiúil na comharsanaí amach. Bhí Antoin ar deireadh sa doras agus ar seisean, "Slán chodlata díbh."

"Choimrí 'n Rí sibh," arsa Séamus agus Maighréad d'aon ghlór.

Dúradh paidrín dúthrachtach i dtigh Shéamuis Mhícheáil an oíche sin – "le Dia ár muintir atá sna réigiúin choimhthíocha a stiúradh ar bhealach a leasa," arsa Séamus agus ní fhaca an teaghlach an deoir a thit ar cholbha na leapa an áit a raibh sé ar a ghlúinibh os coinne phioctúir an Teaghlaigh Naofa.

I bhfad i ndiaidh Séamus agus na páistí a ghabháil a luí, bhí Maighréad ar a glúinibh sa chlúdaigh, a coróin Mhuire ar a méaraibh agus í ag cur a hosna agus a himpí suas chuig an Óigh Róchráifí ar son a mic agus ag agairt uirthi súil a choinneáil air anois agus é ar shiúl as faoi shúil a mháthara.

"Seo, a bhean!" arsa Séamus aniar as leabaidh na cisteanadh, "tá do sháith ráite agus bain an leabaidh amach."

"Bainfidh, anois," arsa Maighréad agus chríochnaigh sí an deichniúr a bhí ar a méaraibh.

Fad agus a bhí sí ag coigilt na tineadh chuala sí srannfach Antoin agus buille ciúin Mháire agus an dís i dtromchodladh, cloíte tar éis an lae agus neamhbhuartha i dtaoibh an lae a bhí ag teacht. Is méanar codladh neamhurchóideach na hóige!

XV

Chuaigh Mícheál Shéamuis Mhícheáil ar bord loinge ag béal Loch Feabhail maidin dealbhtha Domhnaigh agus sheas sé ag breathnú an talaimh a bhí ag éirí ina bheanna fiánta os a chionn ag gabháil thart tóin Inis Eoghain. Chonaic sé uisce ciúin Loch Súiligh ag síneadh isteach i dtalamh. D'aithin sé Oileán Thoraí roimhe agus smaointigh sé ar Phádraig Óg ag scéalaíocht dó féin agus do Shíle agus iad ina bpáistí beaga, fán troid mhóir a bhí idir na Francaigh agus na Sasanaigh ó bhéal Loch Súiligh go Toraigh agus mar chuala na seandaoine tormán na ngunnaí mór, mar gabhadh na Francaigh agus mar a rinne tiarna talaimh na dúiche sin spíodóireacht ar Wolfe Tone. Agus smaointigh sé ar throid eile ar an uisce chéanna – troid éagothrom fosta – triúr iascaire in árthach bheag fhann agus neart na farraige móire ag béicigh agus ag batalaigh orthu. Smaointigh agus d'altaigh sé Dia as a bheith beo. Gob Faoi Chnoc! Ar chúl an chnoic sin atá do chroí, a Mhícheáil. Goidé tá d'athair agus do mháthair a dhéanamh – Antoin agus Máire? An smaointeochaidh buachaillí an bhaile ort inniu agus iad ina seasamh ag béal na hátha i ndiaidh an tAifreann a éisteacht? An abróchaidh Síle Rua paidir bheag do chomrádaí a hóige? Thug an soitheach a soc siar amach chun na farraige. Bhí an ghaoth fhuar lom ag séideadh ar Mhícheál, ach níor thóg sé a shúil den talamh a bhí ag éirí níos ísle agus níos ceomhaire gach bomaite. Sa deireadh ní raibh le feiceáil ach Toraigh. Arbh fhéidir gurbh é Oileán Thoraí a bhí ann? Insín beag! Túrtóg! Dartán! Tonnaí na farraige! Agus sheas

Mícheál, agus d'amharc, agus gan le feiceáil ach uisce gur chuala sé clog ag bualadh agus glao chun bricfeasta.

"Céad slán libh, a chruacha na hÉireann," ar seisean, "agus go dtuga Dia go seasóchaidh mé ar bord loinge ar ais ag breathnú ar Thoraigh ag fás aníos as an fharraige in áit a bheith ag coimheád air ag imeacht siar ina craos."

Má chonaic mairnéalach é ag cuimilt a shúile, níor shíl sé ach gurbh í nimh na gaoithe a bhain uisce astu.

Chuaigh Mícheál chun bídh i gcuideachta na ndaoine a bhí ins an deireadh ar an tsoitheach nó ní mheascadh lucht an deiridh agus na daoine a bhí in ann airgead mór a dhíol ar sheomraí galánta na loinge. Bhí scaifte cruinnithe chun boird agus thóg sé croí Mhícheáil nuair a chuala sé iomlán ag caint na Gaeilge a chleacht sé ins an bhaile.

Bhí an mhórchuid óg, cailíní dea-chumtha agus míchumtha, buachaillí gnaíúla agus buachaillí graifleacha, ach ag an iomlán bhí lúth na hóige agus urradh na sláinte.

I gcúpla bomaite i gcorp an tsoithigh mhóir sin, bhí siad mar theaghlach mór amháin, a scéal féin ag gach duine agus an scéal amháin acu uilig – anás, anró agus ocras in Éirinn iathghlais; sult, séan agus saibhreas thar toinn agus lá mór, lá arbh fhiú fanacht leis, nuair a phillfeadh siad thar sáile le saol aoibhneach a chaitheamh ins an ghleann inar tógadh iad. Laghdaigh an chumhaidh agus an mídhóchas ach sular fhág siad an bord chuir fear meánaosta smúid ar an chuideachta ar ais.

"Bhí mise óg lá den tsaol, cosúil leis an mhórchuid agaibhse anois," ar seisean. "Bhí cró beag seascair de chois an chladaigh ag m'athair agus ag mo mháthair agus cúigear de theaghlach, triúr gasúr agus dhá ghirsí a bhí muid ann. Bhí i gcónaí greim le hithe againn, má bhí an bia garbh féin, agus bhí an teach saor ó thrioblóid gur chuir mise i mo chionn go n-imeochainn go Meiriceá. Agus d'imigh, d'ainneoin comhairle athara agus impí máthara, nó bhí mé cinnte gur ghairid go bpillinn agus mo sháith liom. Shiúil mé Státaí Mheiriceá ó chuan Nua-Eabhrac go baile Phroinsis Naofa, agus d'oibir mé faoi thalamh agus os a chionn. Shiúil mé céadtaí míle, agus sneachta go dtí na glúine orm, ag tarraingt ar an ór in Alasca. Chodail mé sa tsneachta gan scáth idir mé féin agus réalta na spéire agus bhí mé laethe gan greim a bheith agam le cur i mo bhéal. Shaothraigh mé airgead agus chruinnigh mé ór go leor.

"Ach idir an t-iomlán, chuaigh na blianta thart agus mar nach raibh mo shiúl san áit a raibh m'aitheantas, níor chuala mé trácht ná tuairisc fán bhaile. Litir, an ea? Mo mhallacht is mo sheacht mallacht don dlí a chros léann ar Ghaeil ar dtús! Bhí mé gan léann. Ní raibh mé ábalta mo ghar féin a dhéanamh, agus scríob de pheann char chuir mé uaim ón lá a bhuail mé talamh i Meiriceá.

"Mar 'dúirt mé, bhí'n t-ádh, nó b'fhéidir an mí-ádh orm, chruinnigh mé ór go leor, níos mó nó 'dhéanfadh mo sháith féin agus sáith ar fhág mé 'mo dhiaidh sa bhaile. Phill mé go Nua-Eabhrac agus thóg mo phasóid go hÉirinn. Bhí greann is cuideachta ar bord agus ní raibh duine ar thóin an tsoithigh níb éadromchroíoch ná mise. An lá 'fuair mé an chéad radharc ar thalamh na hÉireann, bhain an lúcháir deora as na súilibh agam. Cuireadh i dtír i nDoire sinn, agus ní dhearn mé stad ná cónaí mara gur shroich mé an áit inar tógadh mé.

"Mo léan a inse! An áit a raibh teach m'athara ní raibh ann ach ballóg, an cúpla agus creataí an tí ag loghadh san áit ar thit siad, agus féar agus cúlfáith ag fás fríd an iomlán. D'amharc mé thart cá raibh an chónaí úr. Ní raibh sé le feiceáil. Chuaigh mé go tigh comharsan. Níor haithníodh mé. Chuir mé tuairisc mo theaghlaigh. Ar mise Séamus? Ba mé, ar ndóigh.

"A aois óig atá ag imeacht lán de dhóchas, ná ligidh don ór greim 'fháil oraibh. Tháinig tinneas 'dtigh m'athara. Duine i ndiaidh an duine eile, chuir sé a bheirt mhac agus a dhís níon. Fuair mo mháthair bás le briseadh croí agus chuaigh m'athair síos chun na huaighe go huaigneach gan duine aige ach na coimhthígh le friothálamh air agus le ordóg a chur ar a shúil nuair a d'fhág an t-anam é. Agus mise, a chairde, 'rith an ama seo ag cruinniú óir le bláth agus rath a chur orthu seo go léir! Faraor géar! Thug mé cuairt ar a n-uaigheanna, chaith mé mé féin ar an talamh ghlas os a gcionn, agus ní tháinig deoir liom agus mo chroí á bhriseadh. Chaith mé seachtain san áit. Bhí na daoine cineálta liom, ach ní thiocfadh liom fuilstean níb fhaide. Thug mé cuairt eile ar a n-uaigheanna gur fhág slán ag mo chine agus i nduibheagán na hoíche d'fhág mé an gleann inar tógadh mé. Agus seo anois mé, fuílleach óir agam, súil thirim ach croí trom, ag imeacht ar fán le mo ré."

Chuaigh Mícheál amach ar bord ar ais. D'amharc sé soir, siar, gach aird den spéir, ach ní raibh le feiceáil ach farraige, farraige ó chionn na spéire go dtí an ceann eile. Dá dtigeadh ar an loing anois! Bhí spórt agus cuideachta ar bord agus rinne na deoraithe dearmad seal aimsire de bhuaireamh agus de bhrón. Chuaigh na laethe thart aoibhneach go leor go raibh siad fá sheoltóireacht dhá lá do thalamh, agus ansin thoisigh iontas a theacht orthu cé leis a mbeadh an tír úr cosúil.

Dhá lá a dúirt an caiptín leo. Ach níor chuir an caiptín ina chuntas an stoirm a d'éirigh roimh luí gréine an oíche sin. Níor fhág an ghaoth mhór cifleog scaoilte ar bord nár scuab sí amach chun na farraige. Crosadh ar dhuine beo, ach na mairnéalaigh, a shoc a chur taobh amuigh de na cábáin. Bhí na tonnaí ag éirí airde na gcrann, ag tuargain an tsoithigh agus á caitheamh ar gcúl níos mó ná a bhí sí ag gabháil chun tosaigh. Bomaite amháin bhí sí ag éirí ar a cionn ar thoinn agus i mbomaite eile bhí sí ag imeacht ar mhullach a cinn siar san fharraige. Ar feadh oíche agus lae, níor fhág an caiptín é féin an droichead agus char bhac dó árthach acmhainneach agus inneall nár theip air inti.

Tháinig faoiseamh beag sa doininn agus fuair daoine a n-anáil leo ar ais. Fuair Mícheál uchtach a cheann a chur amach agus chuala sé ag gabháil ó bhéal go béal ag na mairnéalaigh "S.O.S. dá fhichid míle taobh ba dheas dínn." Agus thug sé fá deara go raibh taobh an tsoithigh sa tsíon anois in áit a soc a bheith ann.

XVI

Tháinig croitheadh mór talaimh ar an Iodáil. Maraíodh a lán daoine, leagadh na céadtaí teach agus fágadh na mílte duine gan díon os a gcionn nó greim le cur ina mbéal ach i muinín déirce na tíre. I ndúlaíocht geimhridh, b'éigean do chéadtaí deoraí slán a fhágáil ag baile agus ag áit, cúl a gcinn a thabhairt ar thalamh ghrianmhar na hIodáile agus imeacht trasna na farraige móire go Meiriceá. San am chéanna, d'fhág lucht soithigh de thoicithe agus d'uaisle Mheiriceá fuacht agus anró, sioc agus sneachta Nua-Eabhrac a chaitheamh an gheimhridh faoi ghréin lonraigh na Fraince agus na hIodáile.

Níor mhothaigh na toicithe seo, seascair te mar bhí siad i seomraí sómasacha agus in éide shócúlach, níor mhothaigh siad goimh na gaoithe a bhí ag gabháil go dtí an smior sna deoraithe díblithe a bhí ag imeacht leo i mbéal a gcinn gan 'fhios acu goidé a bhí i ndán daofa. Bhí ól agus ceol ar loing amháin, caoineadh agus crá ar loing eile agus gaoth mhór agus fearthainn agus an dubhdhoineann ag déanamh cuid chuideachta den dá chuid go dtí sa deireadh gur cuireadh cosc leis an ól agus casadh sa cheol nuair a bhuail an dá loing in éadan a chéile i lár na hoíche i ndorchadas na doininne.

Nuair a scoitheadh na soithigh óna chéile agus breathnaíodh an chaill, bhí cúpla mairnéalach loite, cúpla duine marbh leis an scanradh, agus cúpla duine crothnaithe nach raibh cuntas ar bith le fáil orthu. Bhí na soithigh brúite pollta go holc, iad ag déanamh uisce go tapaigh, agus cuma gur ghairid go n-imíodh siad síos go tóin na farraige.

Ó shoitheach acu seo a tháinig an scéal a chuala Mícheál ag na mairnéalaigh agus roimh thrí huaire bhí soitheach Mhícheáil fá leathmhíle den dá shoitheach bhriste. Roimh dhá uair eile bhí trí soithigh móra eile chun tarrthála orthu. Ach faoin am seo bhí a fhios acu nach raibh an chaill comh holc agus a shíl siad. Bhí ceann acu ábalta seoladh ar ais go Meiriceá agus ní raibh baol don chionn eile, an ceann a raibh na deoraithe uirthi, a ghabháil go tóin ach oiread, ach bhí a hinneall faoi bháthadh agus b'éigean do shoitheach Mhícheáil í a tharraingt go Nua-Eabhrac.

Leagadh bád beag le cábla a chur idir an dá shoitheach. Bhí buille fada righin ag an scaifte mairnéalach a cuireadh ar an bhád seo, agus bhí siad cloíte amach nuair a bhí an obair déanta agus iad ag teacht aníos taobh an tsoithigh. Bhí na pasantóirí ina seasamh ag coimheád orthu agus bhí siad i ndiaidh gáir mholta a thógáil nuair a tchí siad fear amháin ag cailleadh a ghreama agus ag titim síos taobh an tsoithigh san fharraige. Baineadh "Ó!" as na fir agus uaill as na mnáibh, ach sular léir daofa an dara rud tchí siad fear ag léimeadh amach ar mhullach a chinn ina dhiaidh. Chuaigh sé giota maith faoi uisce, nocht ar uachtar, ghlan an sáile as a shúile, thug cúpla bang, agus fuair greim muinéil ar an mhairnéalach agus é ag imeacht faoi uisce an tríú uair.

Caitheadh rópa chuige agus chuir sé faoi ascaill an mhairnéalaigh é. Caitheadh ceann eile chuige, cheangail fána chorp féin é agus tarraingeadh an bheirt ar bord. Bhí bualadh bos agus gártha molta ag céadtaí ar an dá shoitheach, a chonaic an gníomh, i gcluasaibh Mhícheáil agus é ag teitheadh chun a chábáin a chur éadaigh thirim air féin. Nuair a tháinig Mícheál amach ar ais bhí an dá loing faoi shiúl. Thit an fharraige, agus ag titim na hoíche an dara lá chuaigh an gháir amach ó bharr an chrainn go rabhthar ar amharc talaimh. Chruinnigh iomlán amach ar bord, gach duine agus a chroí ina bhéal aige ag feitheamh le goidé a bhí ag teacht. Solas ar imeall an uisce an chéad rud a thug Mícheál fá deara, agus choimheád sé an solas sin ag éirí in airde gur thaispeáin sé sa deireadh íomhá agus coróin ar a cionn agus an t-iomlán lasta ag solais lonracha. "Íomhá na Saoirse" a chuala sé duine éigin a rá. Chuaigh siad thart fúithi agus í na céadtaí troigh os a gcionn. Thóg Mícheál a shúil dithe agus dhearc roimhe. Dhá thaoibh an uisce bhí tithe, tithe nach bhfaca Mícheál a leithéid ina bhrionglóideacha ariamh, ag éirí amach sa spéir. Chuir sé mearbhlán ina chionn amharc suas orthu agus beaguchtach ina chroí nuair a smaointigh sé ar na tithe beaga ceann tuí a d'fhág sé ina dhiaidh i nGaoth Dobhair.

Bhuail an soitheach calafort ag oileán Ellis agus cuireadh an drong bhocht a bhí i ndeireadh an tsoithigh i dtír. Bhog an soitheach léithe ar ais agus na daoine móra léithe go cionn an rása. Chaith Mícheál, agus na Gaeil a bhí ina chuideachta ar an tsoitheach, an oíche sin ar an oileán agus idir sin agus maidin tháinig na hIodálaigh, a d'fhág siad ar a soitheach féin ag béal na habhna, i dtír ina gcuideachta.

Lá arna mhárach i ndiaidh a ghabháil faoi láimh dochtúra agus ceisteanna a fhuascladh, cuireadh i dtír i Nua-Eabhrac iad agus tugadh cead a gcinn daofa.

XVII

Chuaigh Mícheál ar lorg lóistín agus cúthalta go leor a bhuail sé ag doras tí sa cheantar den chathair ar seoladh ann é. Tháinig fear chun dorais, bhreathnaigh ar Mhícheál agus ar seisean i scoith na Gaeilge:

"Ar mheath na prátaí in Éirinn i mbliana nuair a scaoileadh anall anseo thú, a mhic?"

"Maise, níor mheath," arsa Mícheál, "dá mbíodh ciall agam fanacht agus a n-ithe. Ach níor fhan agus ó tharla anseo mé, b'fhéidir muna dtiocfadh leat féin áit lóistín a thabhairt domh go dtiocfadh leat mé 'chur ar an eolas cá bhfuighinn áit."

"Maise," ar seisean, "níl agam féin ach áit lóistín ann. Lánúin Ghearmánach ar leo an teach seo agus fad agus a bheas tú ábalta do dhola a íoc, beidh ceart go leor, ach an lá nach mbíonn ní bheidh faitíos orthu bealach na sráide a thaispeáint duit. Seas ansin agus cuirfidh mé chugat bean an tí. Ach bíodh a fhios agat," ar seisean ag amharc ina dhiaidh, "nach bhfuil focal Gaeilge aici agus gan ach beagán Béarla."

Tháinig bean an tí agus i mBéarla a bhí briotach go leor a rinne an bheirt an socrú agus fuair Mícheál lóistín i gcathair Nua-Eabhrac. Bhuail an fear a tháinig chun dorais i gcomhrá leis ar ais, chuir ceist air cén chuid d'Éirinn arbh as é agus rudaí mar sin, ach níor lig sé a aithne féin leis ainneoin gur thuig Mícheál nach dtiocfadh leis gur tógadh i bhfad ó Ghaoth Dobhair é leis na ceisteanna bhí sé a chur air.

I gcionn tamaill, chuaigh an fear seo amach agus fágadh Mícheál agus an lánúin Ghearmánach leo féin. Bhí an péire sin ag comhrá ina dteangaidh féin agus ó nár léir do Mhícheál focal dar dhúirt siad, rinne sé neamhiontas díofa agus thoisigh sé a mheabhrú. Bhí sé i Meiriceá anois agus de réir a bhfaca sé de go fóill, ní raibh ór ar bith ina luí fá na sráideannaibh ann. Ní thiocfadh go raibh sé le fáil go réidh áit ar bith ann agus an méid a d'iarr déirc air ag an chuan agus é i ndiaidh a theacht i dtír. Cá bhfuigheadh sé obair nó cá rachadh sé á iarraidh? Nárbh uaigneach an rud a bheith i do shuí i gcathair choimhthígh, agus gan duine le labhairt leat! Dá dtiocfadh le duine a ghabháil amach agus siúl thart féin! Ach cá rachadh sé? B'fhéidir gur ar seachrán a rachadh sé, b'fhéidir gur níb mheasa ná sin a d'éireochadh dó. An baile! Nár bhreá a bheith sa bhaile! Níor mhiste do dhuine cén teach a gcastaí isteach ann é, bhí fáilte agus comhrá ann le fáil aige. Goidé a bhí á thochairt ag an phéire sin agus iad ag amharc air anois agus ar ais. An a mharú a dhéanfadh siad? Nár mhairg dó nár chuartaigh teach Gaeil. Ach goidé bheadh le gnóthú acu ar seisean a mharú! Nár bhreá a bheith sa bhaile in Éirinn ar ais! Inseadh do chroí an fhírinne do do bhéal, a Mhícheáil – dá mbeifeása in Éirinn ar ais, ní bheadh oiread deifre ort á fágáil.

Lá arna mhárach fuair Mícheál uchtach éirí amach fríd an chathair. Chuir sé ceist fá obair i gcúpla áit, ach má b'fhíor ar hinseadh dó, ní raibh duine ar bith ag obair i Nua-Eabhrac fán am sin nó rún ar bith acu a bheith fá dheifre.

Chaith sé seachtain ag gabháil thart mar seo agus gan dul aige obair a fháil. Níor thuig sé dóigh na cathrach. Ní raibh obair le déanamh, de réir chosúlachta, nó fonn ar aon duine í a dhéanamh dá mbíodh féin. Chuir sé iontas air an méad saibhris agus an méad bochtaineachta a bhí i gcathair amháin i gcuideachta.

Ag deireadh na seachtaine scríobh sé litir 'na bhaile. Mhol

sé an tír; bhí sé ag gabháil a thoiseacht a dh'obair i gcúpla lá; níor casadh aon duine de na comharsanaí air go fóill; bhí pasóid mhaith trasna acu agus bhí lóistín maith aige; bhí súil aige go raibh siad uilig go maith sa bhaile agus nach raibh siad míshásta leis cionnas imeacht uathu; agus d'agair sé orthu scríobh chuige in aicearracht.

An oíche chéanna sin, fuair sé uchtach labhairt leis an Éireannach a bhí ar lóistín ina chuideachta fá obair. D'inis sé sin dó nach raibh obair furast a fháil san am, agus go mb'fhéidir go mbeadh sé cúpla seachtain sula rachadh aige obair a fháil. Bhí pócaí Mhícheáil ag éirí éadrom, agus ní raibh a fhios aige goidé a bhí le héirí dó muna bhfuigheadh sé obair agus saothrú gan mhoill. B'fhíor do Shíle Ruaidh é, dar leis, nuair a dúirt sí gur ghlas na cnoic i bhfad ar shiúl. Ba mhéanar a bheith ar ais in Éirinn an áit a mbeadh duine cinnte de ghreim le cur ina bhéal agus le leabaidh a leagfadh sé a cheann uirthi. Bhí an t-uaigneas agus an chumhaidh ag fáisceadh an chroí as. Goidé nach dtabharfadh sé uaidh ar a bheith ábalta siúl isteach i dtigh Bhríd Pheigí i gcuideachta an aois óig. Nár mhairg dó a d'fhág a bhaile ariamh! Bhí sé anois ina dheoraí bhocht i lúb na gcoimhthíoch, gan aird ag aon duine goidé d'éireochadh dó, gan duine le focal cineálta a labhairt leis, gan dadaidh i ndán dó, de réir chosúlachta, ach an t-ocras agus an bás nuair a bheadh na pighneacha beaga a bhí aige caite.

Ar maidin lae arna mhárach bhí troigh sneachta leagtha ó oíche ar na sráideanna, agus thug Mícheál fá deara comh suaimhneach agus a d'éirigh an chathair. Ní raibh tormán le cluinstin agus ní raibh duine ná carr le feiceáil ag imeacht fá dheifre mar bhíodh le seachtain. Chuir Mícheál iontas ins an deifre a bhíodh ar gach duine roimhe seo agus b'iontach leis fosta cá mbeadh siad uilig ag gabháil ar sodar mar bhíodh.

"A ghiolla óig as Éirinn," arsa'n lóistéir eile leis, "gheobhaidh tú obair inniu, má tá fonn ort a dhéanamh."

"Dhéanfainn rud ar bith a mbeadh pighinn le saothrú air," arsa Mícheál, "cá bhfuighidh mé í?"

"Siúil liomsa," arsa'n fear eile, "agus tchífidh tú."

Chuaigh siad go dtí ceann de na sráideanna móra i lár na cathrach agus chonaic Mícheál cúpla fear ansin ag sluaistriú an tsneachta as cosán na gcarrannaí a bhíodh ina rith ar na sráideanna. Bhí gaoth fhuar shiocáin ann agus na daoine a bhí fá na sráideanna bhí siad cumhdaithe go dtí'n dá chluais i gcótaí móra troma ach bhí lucht na sluasaid ina léintibh ag cur tharstu.

"An dtiocfadh leat sneachta 'shluaistriú?" arsa an fear eile le Mícheál.

"D'fhiachfainn leis," arsa Mícheál.

Shiúil an fear trasna na sráide, labhair le fear dá raibh i gcionn na sluaiste agus chroith ar Mhícheál. Tugadh sluasaid dó, agus hiarradh air a ghabháil i gcionn oibre. Chuaigh sé ar an tsraithe leis an fhear a chuir a dh'obair é agus, fuar mar bhí'n lá, ní raibh i bhfad go raibh a léine ar maos ar a dhroim le hallas. Char bhac dó a bheith deislámhach urrúnta. Murab ea go raibh, ní sheasóchadh sé amach an lá. Agus buíoch beannachtach a bhí sé nuair a tháinig an oíche agus fuair sé dhá dollar agus cead a ghabháil chuig a lóistín.

Nuair a shroich sé an teach agus fuair sé greim le hithe, bhain sé an leabaidh amach, nó ní raibh sé ariamh comh tuirseach i ndiaidh lá oibre in Éirinn. Go fiú an lá a bhí sé ag cur mónadh as poll do Niall Mhór agus é ag cur oiread caoráin i bpéire fód agus a dhéanfadh dhá phéire, bhí sé ábalta a ghabháil agus a sháith damhsa a dhéanamh ag fidileoir i dtigh Bhríd Pheigí. Ach dá bhfuigheadh sé cathair Nua-Eabhrac air an oíche sin, ní thiocfadh leis bogadh. Dar leis, más seo Meiriceá, is mairg nár chaith mo shaol san áit ar tógadh mé. Rud amháin a chuir aoibhneas air, bhí sé le rá aige go raibh an chéad airgead saothraithe aige agus go raibh cúpla dollar ní ba mhó ina phócaí. Dhruid sé a shúile ar shéala a ghabháil a chodladh ach bhí a chorp comh tuirseach croite sin nach dtiocfadh leis codladh; agus nuair a tháinig néal air sa deireadh ní codladh sámh a bhí ann ach é á thiontú féin ó thaoibh go taoibh ó sin go maidin.

Agus ar maidin, bhí na cnámha síos leis, arraing ina dhroim agus na méara comh lúbtha agus nach mó ná go raibh sé ábalta a aghaidh a ní. Bhí tuilleadh sneachta déanta ó oíche agus le saothar mór thug sé iarraidh ar an tsráid a raibh sé inti an lá roimhe ré agus chuaigh a dh'obair ar ais. Cúpla uair fríd an lá bhí sé ag brath an báire a thabhairt suas, ach nuair a smaointigh sé ar an mhagadh a dhéanfaí air, agus go leor dá dhéanamh air mar bhí sé, d'fhulaing sé leis; agus nuair a tháinig an oíche bhí a sciatháin comh bodhar nach raibh mothú iontu. Mhair an sneachta naoi nó deich de laethibh agus choinnigh Mícheál leis go tóin. I ndiaidh an chéad chúpla lá, fuair sé a anáil leis, tháinig sé isteach ar bhuille na hoibre agus sular leáigh an sneachta ní raibh aon fhear acu ag obair ina chuideachta, nach gcuirfeadh sé a chár air i gcionn na sluaiste.

XVIII

Bhí Mícheál as obair ar ais, ach le linn gan a bheith ina thost ar fad, bhí uchtach aige anois nárbh eagal dó. Nuair a chonaic an fear a bhí ina chuideachta gur choinnigh sé suas a cheann den mhaide ag sluaistriú an tsneachta, d'éirigh sé ní ba dáimhiúla leis agus faoin am seo bhí a fhios ag Mícheál gur Donnchadh Ó Domhnaill ab ainm dó.

Le cúpla seachtain bhí Donnchadh ag caitheamh lá saoire dó féin agus an mhaidin a bhí sé ag gabháil i gcionn oibre ar ais, thug sé Mícheál leis go dtí an áit ar ghnách leis oibriú ann. Cuireadh Donnchadh a dh'obair comh luath agus chonacthas é agus i ndiaidh Donnchadh a ghabháil 'un comhráidh leis an cheann feadhain, hiarradh ar Mhícheál a ghabháil a dh'obair fosta.

Chuaigh sé féin agus Donnchadh agus ochtar eile fear isteach i mbocsa agus hislíodh an bocsa síos i bpoll mhór sa talamh. Druideadh doras os a gcionn agus bhí croí Mhícheáil ag bualadh go tapaigh agus iad ag gabháil síos leo. Druideadh doras eile os a gcionn agus bhí croí Mhícheáil ina bhéal agus mar bheadh meáchan mór ina mhullach. Bhuail an bocsa tóin agus lean Mícheál na fir eile amach as agus shiúil sé ina ndiaidh agus an brú bocht ag an fhuil in éadan a chraicinn. Bhí a cheann ag at, chonacthas dó, agus mearbhlán ag teacht ann. Tháinig sruth fola lena ghaosáin agus mhothaigh sé a chluasa fliuch. Chuir sé suas a lámh agus bhí a chluasa ag cur fola fosta. Shíl sé go raibh sé réidh agus bhí sé ag gabháil á chaitheamh féin ar urlár an phoill le bás a fháil thíos ansin faoin talamh gan sagart nó bráthair le riar air, gan athair nó máthair le hamharc air, nuair a chuala sé Donnchadh, a bhí ag coinneáil súile air i rith an ama, ag caint leis.

"Ní heagal duit, a chailleach, d'éirigh sin uilig dúinn an chéad am a tháinig muid anuas anseo, agus beidh an lá leat feasta. Tá muid anois thiar faoin abhainn agus sé an t-aer atá siad a dhingeadh anuas le sinn a choinneáil beo is ciontaí le tú a ghabháil a chur fola. Muna dtigeadh an fhuil ní bheifeá beo i bhfad ar an obair seo."

Thug an chaint sin uchtach do Mhícheál. Stad an fhuil; réitigh an ceann; agus tháinig mothú ina cholainn thar mar a bhí.

"Cad chuige nár inis tú domh goidé 'bhí romham?" ar seisean.

"B'fhearr duit gan fios agat air," arsa Donnchadh, "go raibh sé tharat agat nó dálta go leor, b'fhéidir nach dtiocfá anuas chor ar bith agus tá airgead maith ar an obair seo, cúig dollar sa lá." Bhí siad anois ag cionn an phoill agus ní bhfuair Mícheál faill amharc fá dtaobh de gur cuireadh a dh'obair é. Bhí Donnchadh ag tochailt ar aghaidh an phoill agus eisean ag líonadh barra leis an chréafóig a bhí sé féin agus cúpla fear eile a phiocadh amach. Bhí sé comh gnoitheach le nailearaí ach thug sé fá deara go raibh siad ag siúl ar phlátaí iarainn a bhí tógtha cúpla troigh ó urlár an phoill agus nach raibh ins an urlár sin ach sláthach cáidheach bog. De réir mar bhíthear ag gabháil ar aghaidh, bhí cuid de na fir ag cur maidí ina seasamh agus maidí eile trasna orthu ag déanamh taca don talamh a bhí os a gcionn. Bhí scaifte eile ina ndiaidh sin ar ais ag cur plátaí móra ramhara iarainn suas ins na taobhanna agus trasna sa díon agus scaifte eile ag déanamh balla cloch le taoibh an iarainn. Bhí beart féir ag na fir a bhí ag tochailt agus dá dtiteadh créafóg anuas as díon an phoill dhingfí tlamán den fhéar suas ann – "fá choinne gan an t-aer a ligean amach" a hinseadh do Mhícheál.

Ní raibh mórán faille ag Mícheál a bheith ag smaointeadh ar eagla nó ar an chontúirt a raibh sé ann fad agus a bhí sé ag obair ach bhí sé buíoch nuair a scaoileadh na fir agus bhí siad ins an bhocsa ag teacht aníos as an pholl sin ar ais. Bhí a cheann éadtrom agus ní raibh goile aige dona chuid; ach ar ndóigh, bhí cúig dollar – punta iomlán airgid! – saothraithe aige in aon lá amháin. Goidé shílfí de sin thall in Éirinn! Arbh iontas go raibh gáir amuigh ar Mheiriceá a bheith ina tír bhreá! Shiúil sé féin agus Donnchadh amach fríd an chathair an oíche sin, scairt siad i dtigh tábhairne, casadh cuideachta orthu, chuaigh siad chuig amharclann agus phill Mícheál chuig a lóistín sásta lena bhfaca sé ach dó nó trí dollar ní ba bhoichte ná bhí sé ag gabháil amach dó.

Ar feadh chúpla lá, thigeadh fuil shróin leis ar a ghabháil síos ins an pholl; ach ina dhiaidh sin, stad sé agus níor chuir sé suim ins an obair ach oiread le duine eile. An tseachtain ina dhiaidh sin fuair sé uchtach a ghabháil a chuartú na ndaoine ar cuireadh rudaí leis fána gcoinne agus rann sé a gcuid orthu. Rinne siad a mhór de, 'nach ionadh, agus chuir siad a lán tuairisc fán bhaile agus fána mhuintir. Bhí cuid acu i Meiriceá sula dtáinig Mícheál chun tsaoil agus níor chuimhin leis go bhfaca sé aon duine den chuid eile ariamh ach oiread. Chuir sé tuairisc Eoin Éamoinn Eoin orthu. Chuaigh sé siar, hinseadh dó, siar thar na Cnoic Gharbha. Bhí sé i dtigh tábhairne i Síatal oíche. Bhí imirt chártaí ann. D'éirigh bruíon, tarraingeadh gunnaí, maraíodh cúpla duine agus ón oíche sin ní bhfuarthas tuairisc Eoin.

Nuair a scríobh Mícheál 'na bhaile ar ais, d'iarr sé ar a

mhuintir a inse d'Éamonn go ndeachaidh Eoin siar thar na Cnoic Gharbha, go raibh sin 'fhad ó Nua-Eabhrac agus a bhí Nua-Eabhrac as Gaoth Dobhair, agus gur dhóiche go raibh Eoin ag obair ansin go fóill, nó b'fhéidir amuigh in Alasca ag baint óir. Goidé'n mhaith, dar leis, a dhéanfadh sé d'Éamonn a chluinstin gur maraíodh a mhac i dtroid ghunnaí agus ar dhóigh ar bith cá bhfios dósan ar maraíodh é ach oiread le sin.

Thit Mícheál isteach ar dhóigh na tíre. Bhí sé cinnte dá lá oibre. Bhí an saothrú maith, bhí aithne aige ar bhunadh a thíre féin a bhí sa chathair, bhí caitheamh aimsire aige i ndiaidh a lá oibre agus bhí a mhaoin ag méadú, i bhfad níos fadálaí ná mar a shamhail sé sular fhág sé Éire, ach bhí sé ag méadú mar sin féin. I ndiaidh an iomláin ní thiocfadh leis an baile a chur as a chionn; agus nuair a thigeadh oícheanna cinn féile thart, shuíodh sé go tostach sa lóistín ag smaointeadh ar an bhaile agus ag tomhas goidé a bhí na buachaillí agus na cailíní a dhéanamh i láthair na huaire sin.

Tháinig am na Nollag agus scríobh Mícheál litir 'na bhaile. Bhí am maith i Meiriceá, agus bhí sé ag teacht i dtír i gceart. Ní raibh sé lá ina thost ó chuaigh sé a dh'obair – níor inis sé ariamh goidé an cineál oibre a bhí aige ainneoin go gcuirtí an cheist sin i gcónaí ins na litreacha a bhí ag gabháil chuige – agus bhí an tuarastal maith. Bhí muintir na háite, a bhí fá sin, ar fheabhas agus bhí súil aige go raibh gach rud ag gabháil go maith sa bhaile. Ansin ag deireadh na litreach, mar chineál d'athsmaointeadh, déarfá, dúirt sé go raibh bronntanas beag anseo agus go raibh súil aige go mbeadh sé acu fá Nollaig. Bhí fiche punta fá choinne a athara agus a mháthara, punta fá choinne Mháire, punta fá choinne Antoin agus an ceann eile fá choinne Bhríd Pheigí, an créatúr, leis an Nollaig a chur thairsti di.

Chaith Mícheál an oíche a ba chumhaidhiúla a b'eol dó ó d'fhág sé Éire, Oíche Nollag sin. Bhí sé ina shuí chun coirme i dtigh carad i Nua-Eabhrac. Bhí an bord ag lúbadh faoi thogha gach bídh agus rogha gach dí, bhí cuideachta chaoithiúil fá dtaobh de; ach bhí intinn Mhícheáil ar chró beag tí, an ghaoth ag feadalaigh i bpoll na heochrach, an talamh bán le sneachta amuigh, craos tineadh ar an teallach, an t-urlár leacach comh sciúrtha agus ballaí 'n tí nite comh geal agus go raibh solas na tineadh ag rince iontu, tábla faoin fhuinneog, pláta mór d'arán rísín gearrtha air, leath na bonnóige rísín sin, a rinne a mháthair ar maidin, ina sheasamh gan ghearradh in éadan an bhalla, meascán mór ime lena ais, Antoin ag cionn amháin, Máire ag an chionn eile den tábla, a athair le taoibh Antoin, a mháthair ins an chlúdaigh, babhal tae agus leadhb aráin ag gach duine – agus áit eile le taoibh Mháire, a áitsean – folamh! An osna as duine den chuideachta i láthair ansin a chuala sé nó osna ó chroí a mháthara ina suí sa chlúdaigh ag breathnú ar an áit fholamh sin ag a bord féin?

Ní raibh Mícheál leis féin ina smaointe. Gaeil uile a bhí fá dtaobh de, agus bhí a n-intinn siúlach an oíche sin. Má rinneadh leithscéal den itheachán bhíthear dáiríribh fán ól, agus hóladh sláintí; sláinte na hÉireann, sláinte na laethe fadó agus sláinte na laethe a bhí rún acu uilig a chaitheamh go haoibhneach faoi Chruacha Glasa na hÉireann.

XIX

Chuaigh na blianta thart agus nuair a bhí Mícheál cúig nó sé bliana i Meiriceá, tháinig am na lánúineacha. Oíche Athair an Dá Lá Dhéag, d'fhan Diarmuid Óg taobh amuigh de dhoras Bhríd Pheigí – bhí Bríd beo go fóill ach bhí sí ag críonadh agus ag éirí beag – go dtáinig Síle Rua amach. D'fhanadh cailíní an bhaile istigh i ndiaidh an t-aos óg imeacht gach oíche le timireacht bheag a dhéanamh do Bhríd agus ba í Síle a bhí istigh an oíche sin. Lean Diarmuid don iascaireacht agus bhí sé maíte air go raibh pighneacha airgid aige. Bhí dhá ghiota talaimh ag a athair fosta, agus, ainneoin go raibh ceathair nó cúig de stócaigh ar an teaghlach agus lán tí de chailíní, bhíthear den bharúil go dtitfeadh giota den talamh le Diarmuid. Bhí aois a phósta aige, a sháith urraidh agus gnaoi ann agus bheadh fáilte roimhe ag iarraidh cleamhnais i bhfiche teaghlach.

Nuair a tháinig Síle amach, shiúil Diarmuid coiscéim ar choiscéim léithe 'na bhaile agus iad ag comhrá ar scéalta reatha. Bhí Síle ag tarraingt ar a doras féin nuair a dúirt Diarmuid:

"Seas a leataobh anseo, a Shíle, ba mhaith liom focal ar leith a labhairt leat."

Sheas Síle agus Diarmuid ar scáth chruach na mónadh, an áit a raibh siad as amharc aon duine dá mbeadh ag gabháil an bealach mór.

"A Shíle," ar seisean, "tá rún agam a ghabháil chuig mnaoi an séasúr seo."

"Tá! – 'b'ea?" arsa Síle. "Ar ndóigh, níl coir ar bith ansin. An bhfuil dochar domh ceist a chur cé an bhean a bhfuil tú 'brath a ghabháil chuici?"

"Sin an rud a bhí mé 'choinne inse duit. Sula dté mé chuig duine ar bith eile, diúltfaidh tusa mé," arsa Diarmuid.

"Seo anois, a Dhiarmuid, beagán de do chuid magaidh," ar Síle. "Is fada do chaint ó do chroí."

"Tá sé thara mhagadh, a Shíle," ar seisean. "Sula dtéinn áit ar bith eile, ba mhaith liom ceist a chur ortsa an nglacfá mé. Tá mé á dhéanamh sin anois, agus má tá tú sásta mo ghlacadh abair an focal agus dhéanfaidh mé réidh fá choinne na dála."

Níor labhair Síle. Níor spreag sé go dtí sin í gurbh í féin a bhí i súil Dhiarmuda agus níor fágadh focal aici.

"Bhal," arsa Diarmuid nuair a bhí siad ina dtost ar feadh tamaill, "goidé deir tú? Tá a fhios agat cé mé agus tá a fhios agamsa cé thusa. Níl feidhm dúinn mar sin a ghabháil a mholadh nó a cháineadh a chéile. Goidé deir tú?"

"A Dhiarmuid," ar sise, "ná bí ina dhiaidh orm ach ní thiocfadh liom do phósadh."

Bhí Diarmuid ag gabháil a chaint ar ais, ach leag Síle a lámh ar a sciathán agus lean sí léithe.

"Anois ná cuir ceist orm cad chuige, ná ní thiocfadh liom a inse duit ach oiread. Rud amháin, ní bheadh lá loicht agam ort mar chéile; agus rud eile, ní chluinfidh duine ná diúlach a choíche gur iarr tú mé, agus ná bíodh cotadh ort a ghabháil a dh'iarraidh do rogha bean de thairbhe tú d'intinn a ligean liomsa. Tá mé buíoch duit agus ádh mór ort."

Níor fhan Síle le freagar, nó bhí sí ar shiúl isteach chun tí sula bhfuair Diarmuid faill freagar a thabhairt uirthi. An duine bocht! Ghoill sé air. Sheas sé ansin tamall ag meabhrú ar an iomlán, agus nuair a d'fhág sé cruach na mónadh, bhí sé cinnte de go raibh Síle geallta do dhuine inteacht eile, cé bith é féin, agus bhí sé buartha as labhairt. Ach dúirt sí go gcoinneochadh sí a rún agus ní raibh Síle cainteach.

Chuaigh Síle chun tí. Ní raibh roimpi ansin ach a hathair. Chaith siad a suipéar bracháin, dúirt siad an paidrín agus chuaigh a luí. Rinne Síle na rudaí seo agus beagán intinne aici ar goidé a bhí sí a dhéanamh. Ar an dara deichniúr den phaidrín, dúirt sí, "Glór don Athair" i ndiaidh trí Áibhé agus b'éigean don athair a iarraidh uirthi rá léithe. Ar an cheathrú deichniúr, dúirt sí cúpla "Sé do bheatha" de bharraíocht agus b'éigean don athair a rá léithe go raibh a sáith ráite. Ach nuair a bhí sí fá shuaimhneas ina leabaidh féin, leag sí a hintinn ar chomhrá Dhiarmuda.

Cad chuige ar dhiúltaigh sí é? Nuair a fuair sí faill smaointeadh i gceart air anois, ar cheart dithe é a dhiúltú mar mhaithe léithe féin? Mícheál Shéamuis Mhícheáil sea! Goidé fá dtaobh de? Níor labhair sé léithe ariamh ar phósadh; b'fhéidir nár smaointigh sé ar a leithéid ariamh. Bhí sé ar shiúl thall i Meiriceá anois agus b'fhéidir dearmad glan déanta aige go raibh a leithéid ann. Má chuir sé cárta fá Nollaig nó litir nó dhó chuici féin níor chomhartha ar bith sin go raibh aird aige uirthi ach oiread le cailín ar bith eile. Rinne sí contráilte é! Chuirfeadh sí scéal faoi choim chuig Diarmuid ar maidin go dtáinig sé uirthi róthobann, gur smaoin sí níb fhearr ar na gnoithe, go raibh sise sásta anois má bhí seisean. Phósfadh sí Diarmuid. "Agus, a Shíle," arsa glór beag, "má thig Mícheál Shéamuis Mhícheáil 'na bhaile ar an tsamhradh seo chugainn nó samhradh ar bith eile agus tusa pósta." Faraor! Nár chnapánach an saol é! Ise ina banchéile ag Diarmuid; Mícheál Shéamuis sa bhaile ó oíche; é tarraingt isteach a dh'amharc uirthi ar maidin; é rá léithe gur shíl sé go mbeadh sí ansin roimhe ag fanacht leis pilleadh, ach nár fhan sí agus nach raibh neart air! Níor iarr Mícheál uirthi ariamh fanacht leis ach níor chinntí an ghrian ar an aer ná bhí Síle anois go bpillfeadh

Mícheál agus gur uirthise a dhéanfadh sé rogha thar mhnáibh. Sular thit sí ina codladh an oíche sin rinne sí rún gur chuma cé hé, nach bpósfadh sí aon fhear a choíche go bpillfeadh comrádaí a hóige uirthi ar ais. Ina codladh cárbh ionadh má bhí sí féin agus Mícheál ag buachailleacht ar ais, ag troid tamall, mór le chéile tamall, ag caitheamh an ama mar bhí i saol suáilceach na hóige.

Fuair Diarmuid Óg bean an geimhreadh sin, cailín ón tsliabh. Nuair a dúirt sé lena athair ardtráthnóna go raibh sé ag gabháil chuig mnaoi an oíche sin agus d'fhiafraigh sé goidé a bhí sé ag gabháil a thabhairt dó, thug an t-athair amach go tóin an tí é agus ar sé, "Amharc fad soir agus a tchí do shúil agus amharc fad siar agus a tchí sí. Tá'n oiread sin den fharraige mhóir faoi do chosaibh agus déan a' mhór de." I ndiaidh an iomláin, nuair a bhí an pósadh déanta thug an t-athair áit tí agus screabán beag talaimh do Dhiarmuid agus dá mhnaoi.

Chuir pósadh Dhiarmuda siúl ar na lánúineacha an bhliain sin agus pósadh idir fhir agus mhná, dhá chloigeann déag amach as an bhaile. Lean a lán acu comhairle an tsaoi agus rinne siad cleamhnas 'chois na tineadh ach chuaigh cúpla bean go bailte taobh amuigh agus bean amháin, Máire Antoin Óig, chun na Rosann le fear nach bhfuair locht ar a crudh, fad agus go raibh sí féin le fáil aige.

XX

Chuala Mícheál ar ndóigh, iomrá ar an tsuipín siúgh a chuaigh fríd aos óg an bhaile an bhliain sin agus smaoin sé dá mbíodh sé féin fá bhaile go mb'fhéidir go mbuailfeadh an aicíd é fosta. Níor smaoin sé ariamh ar phósadh nó cé b'áin leis mar mhnaoi. Bhí pearsa mná ina shúilibh ach níor casadh air ariamh i gcolainn shaolta an pearsa sin. Chuaigh sé a bhreathnú ina intinn, ina shuí ina lóistín i gcathair Nua-Eabhrac, cé ba deise a chuaigh dó. Chuir sé thairis an iomad cailíní óg a raibh aithne aige orthu i Meiriceá. Bhí cumtha agus míchumtha orthu ach níor léir dó duine acu gan a locht. Agus ansin tháinig cailíní an bhaile ina chionn agus ar an iomlán rinne sé rogha de Shíle Ruaidh. I méin agus i ngné ba í ba chosúla lena spéirbhean. B'iontach, dar leis, nach bhfuair sise fear nuair a bhí fir ag gabháil. Sea, dá bhfuigheadh, a Mhícheáil, an ngoillfeadh sé ort? Ar mhaith leat díomhaoin romhat í nuair a phillfeá ar ais go hÉirinn? Ar ndóigh, ní bheadh an pilleadh comh haoibhneach agus Síle Rua pósta roimhe!

Chuir sin ag smaointeadh é ar an tamall a bhí caite i Meiriceá aige. Bhí cúig bliana imithe agus é comh fada óna sháith a bheith aige agus bhí sé an lá a chuir sé cos ar an Oileán Úr, chóir a bheith. Chruinnigh sé go maith fad agus bhí sé ag obair faoi thalamh ach b'fhada an obair sin críochnaithe. Chuaigh sé fá haon d'eisean a chríochnú fosta. Nuair a bhí an bealach faoi thalamh chóir a bheith déanta, bhí siad ag éirí ní ba neamartaí ins an choimheád a bhí siad a dhéanamh. Lá dá raibh siad ann, bhí Mícheál agus Donnchadh ag tochailt ar aghaidh an phoill. Créafóg leathscaoilte a bhí ann agus thit cloch ghualann amach as an uachtar. Ba é a gceart tlamán féir a sháitheadh ins an pholl a d'fhág sí ina diaidh ach níor sháigh. Fá chionn tamaill chuala siad mar bheadh an ghaoth ag feadalaigh i bpoll na heochrach. Roimh bhomaite ba chosúla leis an ghaoith sa tsimléir oíche gaoithe móire é agus ansin thuig siad goidé a bhí ar cois. Agus chonaic siad na fir ag teitheadh. Ach bhí siadsan mall. Tógadh an beart féir a bhí ag a gcosaibh agus séideadh amach fríd pholl os a gcionn é a raibh an t-aer ag imeacht fríd. An dara bomaite tógadh an bheirt fhear mar thógfaí tlamán cluimhrí agus séideadh fríd an pholl chéanna iad.

Thug Mícheál a anam do Dhia is do Mhuire nó shíl sé go raibh sé ag barr. Ach bhí fad ar a shaol, nó síobadh fríd lábán agus uisce amach san aer é agus thit sé féin agus beart an fhéir ag taobh a chéile i lár na habhna. Chas Dia bád de chóir baile agus tógadh Mícheál slán folláin ach bhí an dá chois briste ag an Dálach.

Chuir sin Donnchadh ó obair. Níor chneasaigh na cosa aige agus bhí sé anois ar dídean ag mnáibh rialta agus ag iarraidh a bheith ag bogadaigh thart le croisínibh.

Nuair a bhí an bealach faoi thalamh críochnaithe bhí Mícheál tamall fada gan obair agus bhí poll ag gabháil ins an taisce a bhí déanta aige. Nuair a fuair sé obair ar ais, ní raibh sí buan agus ó shin bhí sé seal ag obair agus seal ina thost agus gan dul aige cur leis na cúpla céad dollar a bhí i dtaisce sa bhanc aige. Bhí an baile i gcónaí ar a intinn agus ba mhaith leis cuairt a thabhairt ann. Ní raibh maith dó smaointeadh ar philleadh ar fad nó ní ligfeadh an náire dó suí síos sa bhaile agus gan aon dath a b'fhiú nó b'fhearrde aige le taispeáint ar son na mblianta a bhí caite. Sea! Dá dtigeadh séasúr maith oibre an samhradh a bhí ag teacht agus é a bheith ábalta suas le céad punta a chur i gcuideachta, bhéarfadh sé ruaig 'na bhaile, chaithfeadh a chuid airgid go fairsing réidh ar feadh chúpla mí, mar a ghníodh siad uilig é, agus phillfeadh sé ar ais ar thalamh mhallaithe Mheiriceá, mar a ghníodh go leor acu, agus gan bonn pighne idir é féin agus an chroich. Nár chuma, tchífeadh sé na seanfhóide agus na seandaoine agus nach sílfí, agus é ag ligean airgid le gaoith, go raibh fuílleach aige!

XXI

Tháinig drochshamhradh an bhliain sin. Bhí na mílte fear agus Mícheál ar fhear acu, ag gabháil thart gan obair le fáil acu i rith na bliana. Bhí go leor ní ba mheasa ná Mícheál, nó bhí an taisce aige le tarraingt air agus bhí cuid eile gan taisce ar bith agus cúram teaghlaigh orthu. Dá mbíodh caint ag ballaí i gcúlsráideanna i gcathair shaibhir Nua-Eabhrac, nó caint ag na daoine a bhí ina gcónaí iontu le comhairle a chur ar aos óg in Éirinn, d'inseochadh siad scéal a choscróchadh clocha fá leatrom, fá anás, fá ocras agus fá dhíobháil ar feadh an gheimhridh a bhí sa mhullach orthu.

Bhí sé fá thrí seachtainí don Nollaig. Ní tháinig Nollaig ó tháinig Mícheál go Meiriceá nár chuir sé scór punta 'na bhaile go hÉirinn. Ba bheag leis an scór a bhí fágtha anois aige, ach mar sin féin, scríobh sé litir chuig a athair agus chuir sé chuige féin agus an mháthair bronntanas beag, mar a dúirt sé, fá choinne na Nollag. D'admhaigh sé nach raibh an t-am rómhaith le tamall sa tír sin acu ach, agus nár aifrí Dia air é, dúirt sé nach raibh ábhar éilimh aige féin nó go raibh sé ag obair leis.

Bhí sé ag obair leis ar an obair ba chéasta a bhí ag fear ariamh, ag cuartú oibre agus gan í le fáil.

Tháinig sneachta agus sioc go luath an bhliain sin agus b'éigean do Mhícheál bunús a raibh aige a chur amach in éideadh a choinneochadh an fuacht ó na cnámha aige. Go dtí seo tháinig leis an scór a ghlanadh i dtigh an lóistín agus níor tugadh an bealach mór dó, ach thug bean an lóistín fá deara nach raibh oiread rathúnais aige agus a bhíodh agus b'fhurast aithne go raibh beagán fáilte aici roimhe. Ar an ábhar sin chaith Mícheál comh beag sin sa teach aici agus a tháinig leis oíche nó lá. Ach bhí na sráideanna fuar polltach i ndiaidh oíche, ní raibh dollar le caitheamh aige i dtigh 'n óil agus ní raibh maith leis cur isteach ar na teaghlaigh a raibh aithne aige orthu agus a dtine bheag gann go leor acu féin má bhí tine acu ar chor ar bith.

Bhí sé, mar sin de, oíche ag gabháil thart le Ard-Teampall Phádraig Naofa nuair a chonaic sé é lasta agus daoine ag tarraingt isteach ann. Isteach leis fríd an chuideachta. Bhí sé go minic aroimhe ann ach an oíche seo, agus é lasta go deas, bhí an saibhreas oibre agus ornáide a bhí ann níb fheiceálaí ná thug sé fá deara ariamh é. Bhí amharc súl ins an altóir mharmair ins na híomhánna a bhí fá dtaobh di. Bhí an t-iomlán comh galánta agus go mbeadh faitíos ar dhuine istigh ann. Ach an bomaite sin, tháinig spideog bheag agus sheas sí os coinne Mhícheáil, chuir sí a ceann ar leataobh agus d'amharc sí air le leathshúil agus ansin thiontóidh sí a ceann ar an taoibh eile agus d'amharc air leis an tsúil eile oiread le rá, "Anois ba mhithid duit a theacht agus cá raibh tú le fada?" Ar an bhomaite, tháinig teach pobail an Choiteann ina chionn. An t-iontas a bhí air an chéad lá a chuaigh sé ansin lena athair as an teach mhór agus as an chruinniú mhór daoine. Smaointigh sé ar na laethe móra a bhí ansin aige lá an Easpaig agus an lá a fuair sé a Chéad Chomaoineach, na laethe Féile Pádraig nuair a bhíodh na drumaí dá mbualadh sa ghleann; ach níor chuimhin leis ariamh a bheith i dtigh an phobail gan an spideog bheag a fheiceáil ansin ag coinneáil cuideachta le hÍosa i Naomhshacraimint na hAltóra. I soineantacht a óige shíl sé gur mhéanar don spideoig agus gur Naofa í nuair a sheasadh sí ar an altóir agus an sagart ag naomhú na Sacraiminte. Ansin thigeadh sí agus sheasadh os coinne duine agus chuireadh a ceann ar leataobh go n-amharcadh air le leathshúil. “A spideog bheag,” ar seisean leis féin agus tocht ina ucht, “níl a fhios agam cá huair a bhí oiread cumhaidhe orm agus ’chuir tusa orm anois,” agus shéid Mícheál a ghaosáin ach chuimil sé an deoir ón tsúil ins an am chéanna. Ba mhaith an choigríoch ariamh fad agus bhí saothrú ann ach cá mhéad duine ar a eolas anois a bhí ag caoineadh na súl astu féin cionnas Éire a fhágáil ariamh agus a phillfeadh ann anois dá mbíodh an gléas acu nó dá ligeadh an náire daofa é.

Chuir sagart, ag cur cinn ar an phaidrín, isteach ar smaointe Mhícheáil agus chuir an duine bocht a chroí ins an impí a cuireadh suas chuig Máthair Dé an oíche sin agus ghuigh sé ní ba dhúthrachtaí ná dúirt sé a urnaí le fada ariamh. Bhí an Paidrín thart agus tháinig sagart eile, in éideadh Athara Naofa ar an chrannóig agus thoisigh a sheanmóireacht. “Ní fhaca súil ná níor chuala cluas,” a bhí sé a rá, “an t-iolmhaitheas atá i dtaisce ag Dia don mhuintir a ghní A aitheanta a choimheád,” agus leag sé pioctúir deas ar shúilibh an phobail ar bhreáthacht na bhflaitheas. Tháinig binnbhriathra as a bhéal a bhí mar bhalsam do chroí bhrúite mar chroí Mhícheáil. D’inis sé scéal a chreid na seanGhaeil in Éirinn fá thalamh shéanmhar ina luí san fharraige thiar, an áit nach mbeadh pian ná piolóid, tinneas ná trioblóid, buaireamh ná bás; agus mhínigh sé daofa go raibh tír i ndán daofasan ansin i láthair gan pian gan piolóid, gan tinneas gan trioblóid, gan buaireamh gan bás don té a shroichfeadh a críocha geala. Bheadh siad ag féachaint ar ghnúis Dé, ar a Mháthair Bheannaithe, ar na haingle agus ar na naoimh, ar a muintir féin a chuaigh rompu agus ar an mhuintir a d’fhágadh siad ina ndiaidh i ngleann díblithe na ndeor seo, ar feadh na síoraíochta. Chluinfí ceol na n-aingeal ag moladh agus ag síormholadh an Tiarna. Ní bheadh tinneas, bás ná scarúint i ndán daofa a choíche ach an t-am dá chaitheamh go haoibhneach i gcuideachta a gcarad fad agus bheadh Dia ina Dhia. Agus ní raibh le déanamh acusan ar a dtaobh féin ach an dá aithne a thug Dia daofa a chomhlíonadh – Dia do ghráú os cionn gach uile ní agus an chomharsa mar iad féin. Nárbh fhurast sin a dhéanamh, agus dá mbeadh sé de mhí-ádh orthu fearg a chur ar Dhia nárbh fhurast cairdeas a dhéanamh Leis ar ais i Sacraimint na hAithrí. Ach an ceangal a chuir sé leis an tseanmóir, chuaigh sin go domhain i gcroí Mhícheáil: "Nach taithneamhach an smaointeadh é don mhórchuid agaibhse a d'fhág baile agus cine gan súil agaibh go bhfeice sibh a choíche ar ais iad; nach taithneamhach an smaointeadh agamsa é, nach bhfeiceann mo dhaoine in Éirinn iathghlais ar ais ar a' tsaol seo, go gcasfar do chéile sinn, sibhse agus bhur gcairdese, mo chairdese agus mise, nuair a fhágfas sinn trioblóid agus buaireamh an tsaoil seo 'nár ndiaidh agus go mairfidh muid i gcuideachta i nglóir agus i solas Ár dTiarna go deo na ndíleann!"

D'fhág Mícheál Ard-Teampall Phádraig i ndiaidh Bheannacht na Naomhshacraiminte agus sólás ina chroí nárbh fhios dó i gcaitheamh bliana. An oíche sin ar a leabaidh, dhearc sé siar go cúramach ar an tsaol a bhí caite aige. Ní raibh sé gan locht. B'fhéidir go raibh daoine ní ba mheasa ná é ach bhí go leor a bhí níb fhearr. Níor mhaith leis go nglaofadh Dia chun cuntais air an oíche sin ach lá arna mhárach, rachadh sé ar ais chun an Ard-Teampaill, dhéanfadh sé a ghearán le Dia i bpearsain an tsagairt, bhuailfeadh sé a ucht i ndoilíos, gheallfadh sé a bheatha a leasú agus d'iarrfadh maithiúnas ar a Athair, ar an Dia a chruthaigh neamh agus talamh. Nuair a bheadh sin déanta chuirfeadh sé é féin i lámhaibh Dé le déanamh leis mar ba mhian leis.

XXII

Lá arna mhárach chuaigh Mícheál chun faoiside agus bhí sé de ádh air go bhfuair sé a ghabháil chuig an tsagart a rinne an tseanmóir an oíche roimhe sin. Chuaigh siad siar ar bheatha Mhícheáil ó tháinig ciall aige agus nocht Mícheál dó gach coir, mór nó beag, a raibh sé ciontach ann ariamh ó fuair sé cuimhne go dtí an uair sin. Thóg an sagart a lámh os a chionn i ndiaidh comhairle a thabhairt dó agus chan na focla beannaithe a ghlan ar shiúl a pheacaí agus a chuir i seilbh ríocht neimhe ar ais é. Leag Mícheál a cheann faoi an oíche sin ar chroí éadtrom. Cár mhiste dó an saol cnapánach cruaidh ina éadan anois. Bhí Dia ina leith! Aon achainí amháin a d'iarr sé ar Dhia – go dtabharfadh Sé dó pilleadh ar ais ar Éirinn agus a shaol a chaitheamh i measc a chine féin, in anás agus in anró corruair b'fhéidir, ach i ngrá dá dhaoine céile agus dá Chruthaitheoir i gcónaí.

Ar maidin chuaigh sé chun Aifrinn agus chun Comaoineach Naofa agus chaith sé tamall fada i dtigh an phobail ag tabhairt buíochas agus ag impí trócaire Dé. D'fhág sé an teampall agus shiúil sé leis go géar ag tarraingt ar an lóistín, nó bhí gaoth chruaidh shiocáin ann. Thug sé fá deara páiste beag ceithre bliana ag siúl ar ghreim láimhe le cailín óg roimhe; agus nuair a théigh sé suas shiúil sé ar a shuaimhneas ina ndiaidh. Bhí madadh beag bán leis an phéire, iall i láimh an pháiste agus an ceann eile di i mbéal an mhadaidh agus é ag iarraidh a bheith á tarraingt ón pháiste. Bhí an madadh ag tabhairt rúideanna beaga chun tosaigh agus le cionn de na rúideanna sin sciob sé an iall as láimh an ghasúra agus rith sé ón chosán taoibhe amach ar an tsráid léithe. Scaoil an páiste a lámh as greim an chailín agus rith sé i ndiaidh an mhadaidh amach ar an tsráid. Dhearc an cailín thart, bhí gluaisteán ag teacht ar shiúl mhór fá bheagán slat don tachrán agus chaith sí a lámha in airde in éadóchas. Chonaic Mícheál í, thug sé fá deara an baol a raibh an gasúr beag ann, chonaic sé fear lena thaoibh ag tabhairt coiscéim amach á tharrtháil agus ag pilleadh, agus i bhfaiteadh na súl bhí sé féin idir léim agus rása ar chúl an pháiste, bheir air faoina dhá ascaill agus thug iarraidh pilleadh. Le sin buaileadh fán scoróig go trom é, caitheadh an páiste as a lámhaibh agus cuireadh é féin ar a bhéal is ar a shrón ar an tsráid, mhothaigh sé meáchan trom ar a chorp agus mar sháthadh scine ina thaoibh. Ansin, dorchadas agus codladh trom.

Nuair a caitheadh an páiste as a lámhaibh thit sé glan ón ghluaisteán ach chuaigh an dá roth thar ucht Mhícheáil sula rabhthar ábalta é a stad. Tógadh a cholainn bhrúite, cuireadh ar an gluaisteán é agus fágadh in otharlann é. Bhreathnaigh dhá dhochtúir ansin é, rinne mionscrúdú ar a chroí, chroith a gcinn agus dúirt fear acu, "Tá a easnacha briste agus brúite isteach fríd a scamháin. Ní féidir a leigheas agus cuirfidh cúpla uair críoch lena ré ar an tsaol seo. Sógh amháin a bheas aige, ní bhfuighidh sé a mheabhair agus ní bheidh pian air go síothlaí sé." Chuaigh na dochtúirí fána ngnoithe agus fágadh Mícheál Shéamuis Mhícheáil leis féin ina luí ar leabaidh an bháis, i bhfad óna bhaile agus óna dhaoine gan duine le hallas fuar an bháis a chuimilt óna éadan nó deoir a shileadh os a chionn.

Chuaigh an cailín aimsire agus an buachaill beag 'na bhaile go tapaigh; agus má bhí a dhath ann bhí an cailín ní ba mheasa ná an gasúr. Bhí cnapán ar a éadansan, an áit a dtáinig sé ar an tsráid nuair a stealladh as lámhaibh Mhícheáil é agus sin a raibh air. Ach i dtaca leis an chailín de, bhí a croí amuigh ar a béal leis an scanradh a fuair sí, agus ní raibh sí ábalta inse goidé a tharla mar ba cheart go raibh sí fada go leor istigh. Aon duine clainne ag lánúin shaibhir a bhí ins an pháiste, agus nuair a chuala an mháthair agus thuig sí an gábhadh a raibh a mac ann, sciob sí suas ina hucht é agus bhí á fháisceadh lena croí, á phógadh, ag baothchaint leis agus ag sileadh deor go dtí nár thuig an leanbh bocht goidé a bhí ar cois. Bhí an t-athair lán comh cortha ach i bhfad ní ba chéillí. Shamhail an mháthair an chontúirt ar sciobadh a haon duine clainne as ach níor léir di an rí-ghníomh a rinne an fear a cailleadh á tharrtháil. Thuig an t-athair comh deas dá bhás agus bhí a mhac ach thuig sé fosta gur cailleadh mac máthara eile lena mhacsan a thabhairt slán. Chuir sé tuairisc cérbh é agus cár tugadh é, agus fuair sé amach go raibh sé ina luí gan mheabhair in otharlann, nach raibh a fhios cérbh é ach ina rámhailligh go raibh sé ag caint i dteangaidh choimhthígh agus nár tuigeadh focal uaidh ach an focal, "Éirinn." Ní raibh uchtach ar bith as agus níorbh fhéidir dó mairstean mórán níb fhaide.

Bhí an fear seo buartha nach dtiocfadh leis aithne an ghaisce a fháil le buíochas a thabhairt dá mhuintir nuair nach dtiocfadh leis a ghabháil leis féin. Shuigh sé ansin ag breathnú ar an fhear ghonta agus fá chionn tamaill thoisigh Mícheál a bhogadaigh sa leabaidh, d'fhoscail sé a shúile agus d'amharc sé go hiontach fá dtaobh de. Ba léir nár thuig sé cá raibh sé agus stán sé ar gach rud ar a amharc agus an fear galánta coimhthíoch a bhí le taoibh a leapa. Fá chionn tamaill labhair sé go fann i gcogar, "Cá bhfuil mé?" I nGaeilge a labhair sé ach dúirt an fear coimhthíoch nár thuig sé an teangaidh a bhí sé a labhairt agus d'fhiafraigh de an raibh Béarla aige. Chuir Mícheál an cheist chéanna i mBéarla agus caidé a d'éirigh dó nó cad chuige nár tugadh 'na bhaile é. D'inis an fear dó mar a tharrtháil sé gasúr beag ar maidin, gur leisean an gasúr agus nach raibh aige ach é, go raibh sé faoi chomaoin mhóir aige, agus aon rud a bhí ina chumhacht go ndéanfadh sé dó é. D'inis Mícheál cérbh é agus a mhuintir in Éirinn, go raibh athair agus máthair, deartháir agus deirfiúr ansin aige. Chuir an coimhthíoch ceist fá sheoladh a athara agus i gcineáltas dó d'fhiafraigh goidé'n scéal ba mhaith leis a chur chucu dá dtigeadh an bás anois air. Bhí sé buartha gur labhair sé nuair a chonaic sé an scanradh i súilibh Mhícheáil. Níor labhair ceachtar acu ar feadh tamaill ach thug an scanradh, a chuir caint an fhir seo air, rudaí i gcionn Mhícheáil. Ba chuimhin leis anois a bheith ar a bhealach as Ard-Teampall Phádraig i ndiaidh a bheith ag Comaoin agus mar a thug sé iarraidh ar an ghasúr ach sin a raibh a fhios aige.

"'Bhfuil tú ag déanamh," ar seisean, "go bhfuil mé comh holc agus nach bhfaghaim biseach?"

"Deir na dochtúirí go bhfuil eagla orthu nach bhfaghann," a dúradh leis. "Ar mhaith leat sagart a theacht chugat?"

"Ba mhaith," ar seisean. "Bhí mé ag Comaoin ar maidin agus mé ag pilleadh as an Ard-Teampall nuair a bhain an taisme domh, ach ba mhaith liom an sagart 'fheiceáil. Inseochaidh seisean domh an bhfuil an bás agam."

Cuireadh fios ar an tsagart. Tháinig sé agus chuir sé an Ola ar an duine loitithe. D'inis sé dó ansin, comh cineálta agus a tháinig leis, go raibh an bás ar a ghualainn agus gur ghairid go nglaofadh sé ar shiúl air, nach raibh feidhm dó eagla a bheith air roimhe nó nach raibh aige ach a shúile a dhruid ar an tsaol seo agus go bhfosclóchadh sé iad ar aoibhneas na bhflaith-iúnas. Chuir sé in iúl dó comh maith agus bhí Dia dó, a chuir ina chionn faoiside bheatha a dhéanamh an lá roimhe ré agus a ghlaoigh ansin air agus é ar a choiscéim as tigh Dé i ndiaidh a Chorp a ghlacadh isteach ina chroí, an meas a bhí ag an tSlánaitheoir ar pháistibh beaga agus an fháilte a chuirfeadh sé roimhesean a chuir é féin i gcontúirt le páiste beag a shábháil.

"'Sea, a Athair," arsa Mícheál, "tuigim sin agus toil Dé go raibh déanta! Ní raibh mé ar staid a ghabháil i láthair mo Chruthaitheora ariamh ó d'fhág mé aois an pháiste, níos fearr ná tá mé anois. Agus dá mbíodh an gníomh céanna le déanamh ar ais agam, dhéanfainn é agus fios agam mo bhás a bheith air, sula bhfeicinn páiste bocht dá bhrú agus dá charnadh faoin ghluaisteán úd. Ach a Athair," agus bhris sruth ramhar deor as súilibh Mhícheáil, "tá cró beag in Éirinn agus seanduine agus seanbhean ann, nó creidim go bhfuil an bheirt aosta anois, agus deartháir beag agus deirfiúr chaoin; agus nach cruaidh, agus nach róchruaidh an cás nach bhfeicimse amharc orthu choíche ar ais."

Choscair Mícheál oiread agus gurbh éigean dó stad de chaint agus sheas an sagart ansin agus a lámh ar a éadan aige gur shocair sé.

"A rún," ar seisean leis, "an bhfuil aon scéal ba mhaith leat a chur chucu?"

"'Sea, a Athair," arsa Mícheál agus a ghlór níos laige, "bhí an fear seo ag cur na ceiste sin orm. Tá seoladh an bhaile aigesean. Tá mé buíoch dó as comh cineálta agus bhí sé. Tá lúcháir orm a mhac beag a bheith slán. Scríobhaigí sibhse chuig m'athair is chuig mo mháthair, a Athair. Tá'n fear seo maith ach is fearr linn sibhse. Abair leo go ndearn mé faoiside inné ... go raibh mé ar mo choiscéim as tigh an phobail nuair a bhain an taisme domh ... go raibh sibhse agam agus gur chuir sibh an Ola Bheannaithe orm ... go raibh mé ag smaointeadh ar m'athair ... ar mo mháthair bhoicht ... ar Mháire ... ar Antoin ... ar Shíle ... gan cumhaidh a bheith orthu 'mo dhiaidh ... iad a bheith ina gcionn mhaith do m'athair agus do mo mháthair ... tá mé tuirseach."

Thug sé iarraidh labhairt ar ais ach ní raibh sé ábalta. D'inis a shúile cad a bhí ar a chroí – buíochas don tSagart agus don choimhthíoch. Ansin dhruid sé na súile agus thit sé i dtromnéal. Bhí sé ina shuí, dar leis, le hais abhna. Chuala sé glórthaí daoine ag tarraingt air. Bhí glór a athara ann agus chuala sé gáire Shíle Ruaidhe agus a mháthair ag cur a n-urnaí ar Mháire agus ar Antoin agus iadsan á rá ina diaidh. Chuala sé Bríd Pheigí ar cur thairsti agus gleo an aois óig. Bhí iontas air goidé mar a tháinig siad uilig go Meiriceá ach ansin chonacthas dó gurbh é féin a phill go hÉirinn agus go raibh siad uilig ar an chladach ag fearadh fáilte roimhe. D'éirigh na smaointe measctha. Chuala an sagart é ag ainmniú daoine agus ag comhrá leo i nGaeilge agus thuig sé nach raibh sé ach ag rámhailligh agus d'fhág sé féin agus an fear eile é, i ndiaidh iarraidh scéala a chur chucu nuair a gheobhadh sé bás.

Bhí Mícheál leis féin agus é ag caint leis gur éirigh an chaint níos laige. Stad sí sa deireadh. Anonn idir meán oíche agus maidin, chuaigh banaltra go dtí na leabaidh. Bhí a chorp fuar, a anam imithe. Scairt sí ar bhanaltra eile, bheir siad fá chionn agus fá chosaibh ar an chorp, d'iompar é gur fhág i seomra na marbh é, dhruid an doras, agus chuaigh fána ngnoithe gan níos mó suime a chur ins an mharbhán.

XXIII

Dhá lá roimh an Nollaig fuair Séamus Mhícheáil litir ón phosta agus stampa Mheiriceá uirthi. "Bhí a fhios agam go dtiocfadh sí inniu," arsa Maighréad, "nó bhí an capall bán i mo bhrionglóidí i rith na hoíche aréir. Foscail í, agus amharc goidé deir sé nó an bhfuil aon iomrá aige pilleadh 'na bhaile."

D'fhoscail Séamus an litir agus an chéad rud a tháinig amach leis páipéar beag gorm. "Níl sí folamh," ar seisean, "sin ordú ar fhiche punta."

"Maise," arsa'n mháthair, "ba mhaith chuige i gcónaí é, mo leanbh bocht!"

Léigh an t-athair an litir os ard. Bheir an mháthair uirthi, chuir uirthi na spéaclóirí, a raibh an leathshúil astu, agus léigh sí os íseal di féin í, cúpla uair. Thóg Séamus agus léigh sé ar ais í go dtí go raibh gach focal dá raibh inti ar a theangaidh aige.

"Míle altú do Dhia," ar seisean, "go bhfuil sé slán sábháilte. Tháinig mo mháthair chugam le cúpla oíche anois agus ní tháinig ariamh nach dtáinig an buaireamh ina diaidh. Bhí eagla orm gur rud inteacht a bhain dósan."

"Go sábhála Dia sinn féin is é féin, agus go gcuire Sé an drochuair tharainn uilig," arsa'n mháthair.

"Amen," arsa Séamus Mhícheáil, agus shiúil sé amach taobh amuigh den doras. Bhí tráthnóna beag ann, an ghaoth ag feadalaigh go truacánta in ascair an tí, néalta troma dubha ag imeacht trasna na spéire agus cuma anróiteach ar an tír; ach bhí croí Shéamuis éadtrom sonasta teacht na Nollag. Maslach anásta go leor a bhí tús a shaoil ach ní raibh aird aige air anois.

Bhí Antoin chun cuidithe aige agus ní dhearn Mícheál dearmad ann ó d'imigh sé.

Bhí suas le dhá chéad punta dá chuid sábháilte i dtaisce aige, agus, buíochas do Dhia, bhí an tsláinte uilig acu.

Thug sé a shúil síos an bealach mór agus tchí sé leathstócach ag tarraingt air, agus, gan fhios cad chuige, níor thaitin sé leis. Nuair a tháinig an stócach fhad leis, tharraing sé cumhdach beag dearg as a phóca agus shín chuig Séamus é. Bheir sé air agus a lámh ar crith, shiúil chun tí, bhris é agus léigh os íseal dó féin an sreangscéal a bhí ann.

"Fuair do mhac Mícheál bás ar maidin inniu i Nua-Eabhrac. Scríobhfad chugat. An tAthair Mac Pól."

D'amharc sé athuair air agus ceo ar a shúilibh agus é ag déanamh go mb'fhéidir nár leisean an sreangscéal ar chor ar bith, gur in earráid a thug an stócach dó é. Ach bhí a ainm agus a sheoladh ansin agus ní raibh gabháil thairis aige.

"Órú, 'Mhícheáil agus a Mhícheáil!" ar sé, agus dearmad déanta aige nár inis sé dadaidh dá mhnaoi ná dá chlainn.

"Goidé tá cearr anois?" arsa Maighréad, agus ní raibh feidhm di an cheist a chur nó d'inis a croí di é.

"Mícheál," arsa n t-athair, "Mícheál s'againne bás 'fháil ar maidin inniu," agus tháinig "Óch! Óch!" ó chroí ghonta. Lig an mháthair uaill aisti féin agus thit i laige. Chuala Máire an scéala agus tháinig na deora léithe agus ainneoin gur baineadh gach aon chroitheadh as a corp choinnigh sí istigh an caoineadh agus thug iarraidh ar a máthair. Rith Antoin beag amach 'dtigh Phádraig Óig ag caoineadh gur inis go raibh Mícheál marbh i Meiriceá agus a mháthair i laige sa teach. Baineadh cliseadh as Síle Rua ach ní tháinig oiread agus deoir lena súile agus thug sí féin agus a hathair iarraidh 'tigh Mhícheáil.

Bhí Maighréad chuici féin fán am seo ar ais agus ina suí sa chlúdaigh, a lámh faoina cionn agus a corp ag bogadaigh aniar agus siar. Bhí Séamus ina sheasamh ina stacán i lár an urláir agus cuma air nár thuig sé i gceart an béim trom a thit air agus a bhrúigh síos é. Bhí Máire le taoibh a máthara, agus an babhal ar ól an mháthair deoch as aici ina láimh go fóill agus sruth deor ar a gruaidh.

D'éirigh Maighréad nuair a chonaic sí Síle chuici agus d'fháisc an tseanbhean agus an cailín óg, nó bíonn mná tuigseach – gur mheasc an rua agus an liath fríd a chéile agus gur chaoin siad an buachaill a bhí ar lár.

"Arú, 'Mhícheáil agus a Mhícheáil, a leanbh mo chléibh, tú i do luí marbh i measc coimhthíoch anocht agus nach bhfeiceann do mháthair go deo deo thú! Mo leanbh bocht, goidé 'tháinig ort agus gan do litir ach i ndiaidh a theacht ag rá go raibh tú go maith! A Shíle, nach truagh mise ag smaointeadh ar mo ghasúr mhuirneach le mo ré."

"Níl neart ar thoil Dé, 'Mhaighréad," a bhí Síle a rá ag cur céille inti.

Tháinig Pádraig Óg isteach, shiúil caol díreach go dtí an áit a raibh Séamus ina sheasamh i lár an urláir agus bheir greim láimhe air.

"Mo thruaighe thú, a Shéamuis," ar seisean, agus theann sé ar an láimh a bhí ina ghlaic agus dhearc i súilibh deoracha a chomharsan agus tháinig ceo ar a shúil féin. Níor lig an tocht do Shéamus a bhuíochas a ghabháil, ach thuig an dá fhear sin a tógadh agus a chaith a saol sa doras ag a chéile, gan titim amach ná focal géar eatarthu ariamh, thuig siad nach raibh gá le foclaibh ins an ócáid bhrónaigh sin.

"Seo, a Mhaighréad," arsa Pádraig, "tá do sháith caointe agat go fóill beag. Bíodh foighid agat, a chaile, tig a chuid féin de bhuaireamh an tsaoil ar gach duine agus tá sé ordaithe."

"A Phádraig, char chaill go mo chaillse," ar sise.

"Mo náire thú, a Mhaighréad!" arsa Pádraig. "Ar lig tú ar dearmad Máthair eile a chonaic A Mac dá sciúrsáil le fuipeanna, a chonaic coróin de dheilgnibh géara á brú ar A chionn; A lámha agus A chosa greamaithe le tairní maola den chroich, agus A thaobh gonta le sleagh?"

"Go maithe Dia domh é!" arsa Maighréad, "agus go neartaí Máthair na nDólás mé le mo chroich d'iompar go foighdeach. Toil Dé go raibh déanta!"

Tháinig sólás i gcroí an teaghlaigh leis an smaointeadh a chuir Pádraig rompu, agus shuigh an t-iomlán thart fán tinidh. Ach ní raibh siad i bhfad leo féin nó i bhfad go raibh an teach lán de mhuintir an bhaile, a d'fhág cibé gnoithe a bhí idir lámha acu agus a d'imigh ar an bhomaite sin 'tigh Shéamuis Mhícheáil nuair a chuala siad iomrá ar bhás Mhícheáil.

Baineadh fiche racht caointe as an mháthair agus tháinig na deora le Séamus gach uair a dtigeadh duine fhad leo a rá nár mhaith leis a gcaill.

"Ba chuma liom," a deireadh an mháthair, "dá mbíodh sé gan bás tobann a fháil agus faill a bheith aige a shíocháin a dhéanamh le Dia. Ach caithfidh sé gur rud tobann a tháinig air, nó ní raibh muid ach i ndiaidh an litir a chuir sé a léamh nuair a tháinig an sreangscéal bradach. Meiriceá mallaithe! Fuair muidinne ár gcuid féin díot," a deireadh sí agus ní raibh coinneáil aici ar an taom bróin a bhí ag réabadh a croí.

Siúilidh drochscéal ar an ghaoith agus bhí bás Mhícheáil Shéamuis Mhícheáil i Meiriceá ar fud na paróiste roimh uair ó ghabháil ó sholas. Chuala a chairde gaoil ar an tsliabh é agus tháinig a chine fána thásc. Anonn le ham luí bhuail deartháir Mhaighréide agus a chlann isteach. Bhí an teach lán agus chuaigh siad díreach chun an tseomra. Lean Maighréad agus Séamus ansin iad agus thug an t-iomlán srian don doilíos a bhí siad d'iompar. Cluineadh glór na máthara.

"Órú 'Mhícheáil, tá do mhuintir ag cruinniú agus gan tusa rompu. A thaisce mhilis, dá mbíodh do chorp bocht féin againn go gcaoineadh do chairde os a chionn agus go gcaoineadh do mháthair an mac ab fhearr léithe ná a bhfaca sí ariamh!" – agus mar sin gur stad sí tuirseach cloíte le "óch! óch! ó!"

I dtús na hoíche thug Síle Rua agus Máire Shéamuis leo pioctúir Mhícheáil, a chuir sé 'na bhaile an bhliain a d'imigh sé agus a bhí crochta go cúramach sa tseomra ó shin, thug siad leo é agus chuir siad i bhfuinneoig na cisteanadh é agus sreangscéal a bháis ag a thaoibh. Chuaigh an dá chuid ó láimh go láimh agus d'amharc gach duine dá raibh istigh orthu, agus bhí meas don té a d'imigh ins na foclaibh a labhradh gach duine agus é á chur uaidh. "An duine bocht, is é tá cosúil leis féin! Tá aoibh a aire air mar bhíodh ariamh!" nó "Déarfá gur beo tá an dá shúil rógánta ina chionn," agus mar sin agus chluinfeadh cluas ghéar osna mhúchta ó bhuachaill agus tchífeadh fear caoch deora ar ghruaidh na gcailíní a tógadh ina chuideachta.

D'fhan iomlán go meán oíche. D'éirigh Pádraig Óg agus dúirt, "In ainm Dé gabhaigí ar bhur nglúinibh go n-abraimid an paidrín agus go ligimid an teaghlach bocht seo, tá cráite cloíte, agus a ábhar acu, fá shuaimhneas." Chuaigh iomlán ar a nglúinibh san áit a raibh siad ina suí agus chuir Pádraig ceann ar an phaidrín. Dá mbíodh an corp i láthair, déarfadh sé, "Paidir agus Áibhé Máiria má tchí Dia smál air le fuascladh a thabhairt don anam a d'fhág an cholainn," ag deireadh an phaidrín. Ach ina thús an oíche seo dúirt sé: "Toirbhrímis suas an paidrín seo le Dia solas na bhFlaitheas a thabhairt d'anam Mhícheáil agus le sólás agus foighid a thabhairt dá mhuintir lena gcroich d'iompar." Dúradh paidrín dúthrachtach, chuaigh lucht na faire 'na bhaile agus teaghlach Shéamuis Mhícheáil fá shuaimhneas.

Sheas Síle Rua ag cruach na mónadh, an áit ar sheas sí féin agus Mícheál an Oíche Fhéil' Eoin sular imigh sé agus tháinig an t-iomlán chuici mar bheadh comhrá an lae inné ann – an chumhaidh ina ghlór, an dóchas, agus anocht an duine bocht ar lár. Ba chorrach cnapánach an saol é! Ba thruagh Maighréad Mhór ag smaointeadh ar a mac, ach ba mhó go mór an truaighe ise a bhí ag fanacht le pilleadh Mhícheáil oiread agus a d'fhan cailín le céile ariamh agus gan lámh gan focal idir í féin agus é féin. Ba chruaidh a cás, agus ní tháinig sógh i gcaoineadh féin chuici nó bhí a croí tuartha triomaithe faoin loit. Bhí a hathair aici go fóill agus nuair a bheadh seisean imithe, chaithfeadh sí a raibh fágtha dena ré go huaigneach léithe féin mar mhaithe leis an fhear a dtug sí toil agus mian a croí dó gan fhios dó féin, b'fhéidir.

Gach lá go cionn seachtaine agus gach oíche go ham luí, bhí teach Shéamuis Mhícheáil lán de dhaoine ag teacht as gach cearn den phobal fá thásc Mhícheáil. I gcionn naoi nó deich de laethibh tháinig litir as Meiriceá chuig Séamus agus chruinnigh na comharsanaí isteach gur chuala siad léite í –

A lánúin mhodhúil,

Tá brón agus bród orm gur thit sé ar mo chrann an litir seo a bheith le scríobh agam. Tá brón orm go gcaithfidh mé croí athara agus máthara a chéasadh le drochscéal, ach tá súil agam go bhfuil an brón, a chuir bás bhur mic oraibh, ag maolú ó fuair sibh an chéad scéal air. Tá bród orm é a bheith le rá agam nach eol domh aon duine ariamh a bheith comh hullmhaithe le ghabháil i láthair Dé. Ach le toiseacht ag tús an scéil:

Bhí misiún in Ard-Teampall Phádraig sa chathair seo. Déardaoin chuaigh Mícheál, go ndéana Dia A mhaith air, chun faoiside agus rinne sé faoiside bheatha. Ar maidin Dé hAoine bhí sé i láthair ag an Aifreann gur ghlac sé Comaoineach Naofa. Ar a bhealach as an teampall bhí gasúr beag ceithre bliana ag siúl roimhe. Is cosúil gur éalaigh an gasúr amach i leathlár na sráide. Cibé ar bith, thug Mícheál fá deara ansin é, agus, ar an drochuair gluaisteán ag teacht sa mhullach air. Ar an bhomaite, bhí sé lena thaoibh, thóg é idir a dhá láimh, agus bhí á thabhairt slán as an ghábhadh nuair a bhuail an gluaisteán, a raibh oiread siúil faoi nach rabhthar ábalta é stad, bhuail sé isteach sna hioscaidí é, agus leag sé é. Chuaigh na rothaí trasna ar a ucht agus nuair a tógadh an duine bocht bhí a mheabhair caillte aige agus níor mhothaigh sé aon phian. Tugadh chun otharlainne é, ach bhí sé thar leigheas nó cuireadh a easnacha fríd a scamháin.

Ba le fear iontach saibhir an páiste a shábháil sé, agus bhí sé comh buíoch dó agus go ndéanfadh sé aon rud faoin ghréin lena leigheas 'fháil. Ach ní raibh gar ann, a lánúin chóir. Chonaic Dia réidh bhur mac agus ghlaoigh Sé Chuige féin air. Sula bhfuair sé bás tháinig a mheabhair chuige, agus cuireadh fios ormsa gur chuir mé an Ola Dhéanach air. D'iarr sé orm scéal a bháis a chur chugaibh agus a rá go raibh sé sásta le Toil Dé. D'iarr sé orm, sula gcuirfí san uaigh é, an Choróin Mhuire a bhí ar a mhéaraibh a chur go hÉirinn chuig a mháthair agus a rá léithe nach ndeachaidh sé a luí ariamh gan na cúig dheichniúr a rá mar a d'iarr sí air. D'agair sé ar na páistibh a bheith ina gcionn mhaith dá n-athair agus dá máthair, agus gan cumhaidh a bheith oraibh ina dhiaidh.

A athair, a mháthair, Máire, Antoin, agus Síle, na focla deireanacha a bhí ar a theangaidh sular chaill sé a mheabhair ar ais agus ní raibh i bhfad ina dhiaidh sin go raibh sé socair, saor ó ghéarbhroid an tsaoil seo agus a anam ins an Ghlóir.

Ghlac an fear, ar shábháil sé a mhac, seilbh ar a chorp agus rinne sé a fhaire ina thigh féin mar dhuine dá theaghlach. Mise mé féin a chaith na trí sluaiste ar a chónair agus tá sé curtha in uaigh nach ndéantar dearmad ná neamart inti le linn saoil an té 'tharrtháil sé.

Sin deireadh. Níl amhras orm nach bhfuil bhur mac sna Flaithis inniu, nó nach bhfuil sé de dhualgas oraibh a bheith buíoch Dó a thug a leithéid *de dhea-bhás dó.*

Agus nuair a bheas sibh cruinn ar an phaidrín agus thiontóchas bhur n-intinn ar Mheiriceá, abraigí Áibhé Máiria do shagart bhocht, deoraí eile as Éirinn, nach bhfuil ag súil le amharc a fheiceáil ar a thír dhúchais a choíche.

Mise, a lánúin chóir,
An Sagart Mac Pól.

"Mo leanbh," arsa Maighréad idir a deora, "nach tú 'fuair an bás bocht!"

"Níl muid in áit a bheith ag éileamh a bhean," arsa Séamus; "agus ba chóir dúinn a bheith buíoch go bhfuair sé faill é féin a dhéanamh réidh le cuntas a thabhairt do Dhia, go moltar É."

"Níl mé ag éileamh," arsa Maighréad, "baineann an litir sin an nimh as an tubaiste a thit orainn. Nár dheas aige sagart breá Gaelach lena dhéanamh réidh agus lena paidreacha 'rá ag a uaigh. Mo leanbh bocht, ní dhearn sé dearmad dúinn! Agus, a Shíle, bhí dáimh i gcónaí aige leatsa."

Níor labhair Síle, ach i ndiaidh na litreach sin, dá mbíodh sí beo céad bliain, ní bhfuigheadh aon duine, ba chuma cé hé, áit Mhícheáil ina croí.

(CRÍOCH)

II

Draíocht Mara

Draíocht Mara

I

Chuir Séamus Eoghain a dhorg faoina ascaill agus bhuail síos chun an chladaigh go Port a' Chrainn. Ní dheachaidh sé i bhfad gur sheas sé ar an chabhsa agus gur líon a dhá shúil den radharc a bhí os a choinne amach. Fad amhairc uaidh ar tír mór, bhí cnoic ghorma Ghaoth Dobhair ina seasamh ar ghuailneacha a chéile agus an Earagail go ríoga os a gcionn uilig. Sliabh Sneachta ag umhlú le hómós don Earagail agus Achla Mór agus Achla Beag mar bheadh siad ag triall uaidh soir chun na Mucaise. Idir sin agus méilte órga Mhachaire Gathlán bhí lagracha aoibhne agus tulcháin ghrianmhara uaithne, srutháin shoilseacha agus bóithre fada bána. Bhí na miontonnaí ag monamar agus ag suirí le maolchlocha an chladaigh. Bhí scata beag éanach mara ag imeacht go malltriallach le sruth trágha siar bealach na Cruite a bhí ina luí gan bogadh i gcoim na mara móire goirme. 'Chomhair amuigh ag bun na spéire bhí clann mhallaithe Mhic Ó gCorra ag éagaoin agus ag gearán go caointeach leis an tseanfharraige a bhí ag rith tharstu ina rollógaí ramhara glasa ag tarraingt ar Uaigh agus á fháisceadh lena croí. Bhí grian dhearg shamhraidh ag spréacharnaigh in imeall an uisce agus ag rince go meidhreach i mbrollach na dtonn. Líon croí Shéamuis d'áthas. Ba mhéanar, dar leis, a bheith beo a leithéid de lá!

Bhreathnaigh sé ar a chúl. Istigh i gcoim an chnoic, bhí teach aol-nite cheann tuí a athara agus toit liathghorm na mónadh ag éirí in airde díreach as an tsimléir. Bhí an t-athair sa doras agus ba léir don mhac gal an tobaca ag éirí óna thaoibh. Bhí a mháthair ar an chabhsa agus stópa ina láimh ag tarraingt chun an tobair. Bhí an dís, an t-athair sa doras agus an mháthair ar an chabhsa, bhí siad i ngan fhios dá chéile agus dósan, ag breathnú ar an aonmhac sin, a dtaca agus a sciath cosanta agus a gcuid den tsaol mhór.

Shiúil Séamus leis ag tarraingt ar a churach ach sular fhág sé amharc an tí ag an mhéile mhór, chuir rud inteacht ina chionn seasamh agus amharc ina dhiaidh ar ais gur bhain sé lán a dhá shúl as a athair sa doras, as a mháthair ag an tobar agus as an chró inar tógadh é faoi scáth an chnoic. Tháinig ceo ar a shúile, ghreamaigh a chosa in áit na mbonn, agus d'éirigh tocht aníos ina sceadamán agus é ag éisteacht le glór diamhrach ina aigne a bhí ag agairt air pilleadh abhaile agus gan a ghabháil i muinín a churaigh ar mhaol na mara an tráthnóna sin. Sheas sé ansin bomaite nó dhó idir dhá aigne agus bhí sé ar tí pilleadh chun an bhaile ar ais nuair a chuala sé an glór ag a ghualainn ag rá gur dheas an tráthnóna é. Comharsa béal dorais a bhí ann ag pilleadh ó Oileán Eala an áit a raibh sí i ndiaidh mála creathnaí a bhaint. Moladh an tráthnóna, canadh fá na mionrudaí a tharla ar an oileán ó oíche, agus bualadh boc ar na scéalta úra a bhí le lucht an tsiopa as tír mór. D'imigh an comharsa chun an bhaile. Rinne Séamus dearmad go raibh sé féin ag gabháil a dhéanamh mar an gcéanna agus d'imigh leis go Port a' Chrainn.

Bhí na déaga de churaigh ansin agus a mbéal fúthu ar an chladach. Thóg Séamus a cheann féin in airde agus lig sé aniar ar a ghuailneacha leathana é agus d'iompar mar seo go himeall an uisce é. I gcúpla bomaite bhí baláiste i ndeireadh an churaigh agus Séamus ar a ghlúine ar an chéaslaidh ag tarraingt siar ar na líonáin a bhí idir é agus Inis Fraoigh. Chaith sé amach an duán agus lig leis an dorga go raibh sí uilig chóir a bheith san uisce aige. Choinnigh sé siúl deas ar an churach agus é siar agus aniar ar na líonáin; ach ní raibh mórán de bharr a shaothair aige mar nach raibh aiste ar bith ar an iasc. I ndiaidh uair a chaitheamh ar an dóigh, agus gan aige ach trí bheithíoch bheaga ar a shon, sháraigh sé den obair agus chorn sé suas an dorg. Chuir sé an chéasla trasna ar thoiseach an churaigh, tharraing air a phíopa agus dhearg é. Chaith sé leis ar a shuaimhneas agus é ag amharc faoi san uisce. Thíos ansin bhí an dubh-leathach fada ag lúbarnaigh anonn agus anall mar eascann mhóir, an chrúbóg agus an gliomach rua ag déanamh folacháin fríd, deargóg ar a shuaimhneas anseo, ballán ansiúd; agus torann na mbliota ar shleasa an churaigh ag déanamh marbhcheoil uaignigh os a gcionn.

Thug sé aghaidh ar an ghréin a bhí ar tí a báite san fharraige agus le sin bhris an t-oileán glas uaithne craiceann an uisce idir é agus bun na spéire. Go mall fadálach a d'éirigh sé aníos gur léir a chnoic fá choillte glasa agus a mhachairí míne réidhe. “Talamh Chlainn tSuibhne,” ar Séamus os ard. Ní fhaca sé ariamh aroimhe é, ach nach raibh sé ag éisteacht ó tháinig ciall ina chionn go n-éiríodh oileán, idir amanna, amach as an fharraige, go raibh inse scéil ar áilneacht agus ar shaibhreas an oileáin sin, go n-imíodh sé faoi uisce comh luath agus thógfaí súil de, ach dá gcaití cloch air agus é nochta go bhfanóchadh sé os cionn uisce ó sin amach; gur leis an té a chaithfeadh an chloch, agus lena chlainn ina dhiaidh, an t-oileán uasal iltréadach seo a bhí báite faoi fharraige leis na ciantaí; gur nocht sé le taoibh Dhomhnaill Uí Ghallchobhair tráthnóna beag agus é ag pilleadh ón fharraige, ach nach raibh maith dó iarraidh a thabhairt air mar gur do dhuine de chlainn tSuibhne a bhí an talamh i ndán. B'iomaí lá a chaith sé, agus é ina ghasúr, ag amharc amach ó bharr na mbeann ar chúl an oileáin, fiacháil an bhfeicfeadh sé an talamh diamhrach faoi thoinn.

Anois, bhí sé aige go soiléireach faoina shúil, deargadh na gréine meascaithe le uaithne an talaimh, maolchnoc ag éirí i lár an oileáin, abha shoilseach ag brúchtaigh lena thaoibh agus ag sníomh anonn is anall fríd bhánta glasa a bhí sínte amach idir cnoc agus ciumhas na trágha, coill chrann glas ag cumhdach mullaigh an chnoic, na céadtaí caora ar a shleasa agus a gcuid uan ag méidhligh lena dtaobh; tréada bó geal bán agus caiple groí thar chuntas ag innilt ar na bánta. Tháinig guth binn na n-éan trasna na mara go cluasa Shéamuis agus líon a chroí d'áthas. Ba mhéanar gan amhras a bheith beo!

Choinnigh sé súil ghéar ar an talamh agus theann ar a chéaslaidh ag tarraingt air. Ba iomaí buille fada righin a tharraing sé ach d'éirigh leis go geal. Bhí sé fá urchar cloiche dó sa deireadh. Chuir sé a lámh ar a chúl sa churach le cloch a bhí ann a thógáil agus a chaitheamh leis an tseilbh a bhaint amach. Ach leis an deifre agus an driopás, chuaigh sé rófhada ar gcúl, thit sé siar ar a leataobh, d'imigh an meáchan de thoiseach an churaigh agus d'éirigh sé in airde idir Séamus agus an talamh. Níor fhan sé le héirí ach nuair a chuaigh aige a dhéanamh, bhí an t-oileán imithe, slugtha siar i gcraos na farraige agus clár na mara comh mín agus dá mbíodh a leithéid gan a bheith ann ar chor ar bith. Chuaigh sé fá haon dó, ach sháraigh air. Anois, bhí sé fuar folamh, tuirseach míshásta, mílte i bhfarraige agus dorchadas na hoíche ag titim.

Chuaigh sé a mheabhrú ar a mhí-ádh, tháinig gach rud dár

tharla ó d'fhág sé an baile ina chionn. Arbh iontas dó an mí-ádh a bheith air agus gur casadh bean rua air ar a bhealach chun an chladaigh! Smaoin sé ar an chró bheag faoi scáth an chnoic, ar a athair agus ar a mháthair agus bhuail uaigneas é. Go dtí seo ní thug sé fá deara go raibh an fharraige chiúin ag éirí míshuaimhneach. D'amharc sé níos géire agus chonaic sé go raibh cuil chonfach ag teacht uirthi. Chuir sé cluas air féin. Ní baothchomhrá ciúin grá a bhí aici leis an chladach anois ach bagairt challánach fheargach a bhí le cluinstin ag Séamus mílte ar shiúl. Ansin bhuail an fhírinne idir an dá shúil é; bhí anfa farraige agus gála gaoithe móire sa mhullach air le titim na hoíche agus é mílte faoin ghaoith.

Baineadh cliseadh as, ach níorbh é a chéaduair dó troid a chur ar an fharraige, agus níor chaill sé a uchtach. Thug sé aghaidh an churaigh 'na bhaile agus luigh sé leis an chéaslaidh. Ní raibh sé i bhfad ag cur giota farraige ina dhiaidh nuair a chuaigh sé ina chionn ach i ndiaidh an chéad mhíle bhí sé sáraithe. Bhí tálach ar chionn na lámh aige, bhí na sciatháin marbh leis agus arraing idir a dhá shlinneán. Bhí an ghaoth ag géarú agus neart na farraige ag gabháil i dtreise agus an dá chuid ina éadan. Thit dorchadas dubh na hoíche ar muir, agus fágadh an t-iascaire bocht aonarach ag cosnadh a anama in aghaidh nirt na mara fíochmharaí agus na gaoithe gairbhe. Níor léir dó a mhéar ina shúil nó cá raibh a thriall. Bhí a fhios aige gur i mbun na gaoithe a bhí súil aige le port a dhéanamh agus chuir sé teann a choirp sa chéaslaidh. Ach cén bhrí neart an duine in aghaidh na dtonn! Bhí gach buille ag éirí níos laige, gach tonn níos tréine. Tháinig barróg mhór faoi ghualainn an churaigh agus thóg léithe siar ar a chúl é d'ainneoin díchill Shéamuis. Bhí an báire caillte air. Bhí a ré ar an tsaol seo caite, an bás ina sheasamh ar a ghualainn agus an tsíoraíocht scáfar sa mhullach air. Thug sé a anam do Dhia is do Mhuire agus rinne gníomh dóláis.

Nárbh uaigneach an bás a bhí i ndán dó amuigh ar dhroim na mara gan sólás ó dhuine ná ó dhaoine! A athair agus a mháthair! An cró beag ar scáth an chnoic! An bás! Bhí glór éagaointeach ag an ghaoith, bhí an fharraige neamhthrócaireach bhagrach ag súil lena cuid féin, ag súil le colainn an mhairnéalaigh.

II

Sa chró bheag ar scáth an chnoic bhí athair míshásta agus máthair chráite. Níor phill a n-aonmhac in am luí mar ba ghnách leis. Agus anois, bhí an doineann ar siúl agus cá bhfios cén géibheann a raibh a gcuid den tsaol ann. B'fhéidir go ndeachaidh aige port a bhualadh ar tír mór nó ar chionn de na hoileáin agus go dtiocfadh sé chucu le bánú an lae. B'fhéidir, ach nár ligidh Dia gur thíos ar thóin na farraige fiánta a bhí leabaidh dá cóiriú dá mac dil an oíche sin. Bhain an smaointeadh sin an anáil den athair agus lúth na gcnámh den mháthair, thóg sé ailp ar a gcroíthibh nár fhéad siad a iompar. Ach, níorbh fhéidir a leithéid a bheith, a mac a bheith caillte!

Níor leag an tseanlánúin ceann agus níor dhruid súil i rith na hoíche, a b'fhaide, dar leo, ná an tsíoraíocht. Chuaigh gáir ar fud an oileáin nár phill Séamus Eoghain ón fharraige roimhe'n ghéarbhach agus chruinnigh na comharsanaí i dtigh Eoghain a thógáil cianach agus a thabhairt uchtaigh do na seandaoine cráite. Dúirt duine gur mar siúd a rinne sé agus duine gur mar seo, ach dúradar uilig gur slán sábháilte a bhí sé in áit inteacht agus é ag fanacht leis an lá agus le faoiseamh beag sa stoirm le iarraidh a thabhairt chun an bhaile. Nuair a thug gach eolaí a bharúil, labhair seanduine liath a bhí ina shuí ar stól de chois na tineadh, seanduine cromshlinneánach fadleicneach a raibh aghaidh chríon chasta air, féasóg scifleogach agus súile a bhí dearg ó chaitheamh an tsáile agus ó nimh na gaoithe ar feadh thrí scór blian de throid leis an fharraige. Bhí gach súil sa teach ar Aodh Chonaill nuair a labhair sé, de chois na tineadh an áit a raibh sé agus a dhá láimh ar dhorn a bhata ag déanamh taca dó. Seanduine tostach a bhí ann nach raibh an chuid mhór le rá aige, ach an focal a deireadh sé bhí sé i gcónaí stuama céillí. Ar sé: "I lámha Rí na Glóire tá anam agus corp an bhuachalla seo. Ag Dia tchí má tháinig a lá, agus is Aige tarrtháil a thabhairt air muna dtáinig. Bíonn rudaí iontacha ar an fharraige," agus chroith sé a cheann liath, "agus tá lámh Dé gach áit. Mar sin de ar bhur nglúinibh libh agus abraigí 'n paidrín mar shúil gur slán i bport Séamus Eoghain anocht, ach más rud gur caillte a chorp gur slán i gcuantaibh flaithis a anam." Sula raibh an focal deireanach as a bhéal bhí iomlán ar a nglúinibh. Chuir Aodh féin ceann ar an phaidrín agus guíodh Dia agus A Mháthair tarrtháil a thabhairt ar an tseachránaí agus sólás a thabhairt dá mhuintir. Nuair a bhí an urnaí déanta, shuigh gach duine thart agus ní raibh focal le cluinstean ach guí na máthara nár bhog óna glúinibh. Chuir buachaill beag ceist i gcogar ar fhear a bhí ag a thaoibh goidé a bhí i gcionn Aodha nuair a dúirt sé go raibh rudaí iontacha ar an fharraige. hInseadh dó gur iomaí gábhadh a raibh Aodh ann, gur cuireadh as a churach é níos mó ná aon uair amháin, gur thóg a mháthair, a bhí marbh leis na bliantaibh, isteach sa churach ar ais é, go bhfaca sé aingle ar dhá thaoibh a churaigh lá iontach garbh agus é ag gabháil go Machaire Gathlán fá choinne an tSagairt do sheanmhnaoi a bhí le bás ar an oileán, gur fear iontach cneasta a bhí ann a chonaic lámh Dé i ngach rud agus gur "glóir agus míle altú do Dhia" a bhíodh ar a theangaidh nuair a ba mhó a bhíodh an saol ag gabháil ina éadan.

Níor chorraigh an mháthair bhocht óna glúinibh ach d'agair sí go dúthrachtach Máthair Dé, agus d'iarr uirthi as ucht an chlaíomh dóláis a ghoin a croí Beannaithe féin a mac a thabhairt slán chuici. Ghuigh sí agus ghoil sí agus í ag bogadaigh aniar agus siar ar nós an té bíos buartha. Ní raibh suaimhneas le fáil ina shuí ná ina sheasamh ag an athair. Níor luaithe istigh ná amuigh é agus fiche uair thug sé aghaidh ar an chladach mar shúil go mbeadh an t-ádh ar a mhac port a dhéanamh. Agus nuair a tchífeadh sé na tonnaí bána ag strócadh ar an duirling agus ag éirí ar an fhéar ghlas agus an cáitheadh ag gabháil thar mhullach na mbeann agus chluinfeadh sé fuaim éagaointeach na gaoithe móire agus screadach ghéar na bhfaoileog, shiocfadh an fhuil ann, chuirfeadh sé a mhéara ina chluasa agus d'imeochadh chun an tí. Níor luaithe sa teach é ná bhí draíocht éigin á tharraingt chun an chladaigh ar ais. Mar sin a chaith sé an oíche sin idir an teach agus an cladach, cloíte céasta cráite ag an dólás a bhí ag fáisceadh a chroí.

Sular bhris spéarthaí an lae, bhí óg agus aosta an oileáin cruinnithe amuigh os cionn an chladaigh. Ní raibh dadaidh le feiceáil ach na bristeacha geala bána ag síneadh trasna ar an dorchadas agus ní chluinfeá ar do chluasa ach tuaim na dtonn in éadan na mbeann agus toirneach na mboilgeach ar gach taobh den oileán. Mo thruaighe an mac máthar a bheadh ar bharr na dtonn sin! D'éirigh tóin na Cruite agus ceann Uaighe as an duibheagán, agus as a chéile, ghlan an lá agus tháinig craiceann cnapánach na mara ar ris. Bhí an bháigh ina cáir bháin uilig, tonnaí fada fíochmhara ar chos in airde i ndiaidh a chéile, an cáitheadh agus an cúr bán ag éirí san aer, agus iad dá gcaitheamh féin in éadan na mbeann ionnas go síltí go scuabfadh siad tír agus talamh as a gconair agus go slugfadh siad sliabh agus magh i gcraos chíocrach na farraige.

Ní raibh súil nach raibh sáite sa bháigh sin ach ní raibh súil inti níos géire ná bhí ag Mícheál Rua. Fear caol ard caoindhéanta a bhí i Mícheál, a dhroim comh díreach le feagh agus a ghuailneacha comh leathan le tóin curaigh. Bhí sé scaoilte scafánta agus comh héadtrom ar a chois le fia ar shliabh. Bhí folt craobhach rua air agus craiceann comh geal le sneachta síobtha. Bhí fuil agus folláine ag lonrú ina ghruaidh agus gorm a shúile mar dheora drúchta faoi spéir ghlan maidne. Níorbh ea amháin gurbh é buachaill bán an oileáin é, ach ní raibh cailín óg sa phobal nár fhiach lena fheiceáil faoina súil agus é ag teacht anuas "béal na hátha" maidin Domhnaigh. Bhí a chomrádaí, an cara ab fhearr a bhí aige ar an tsaol, i ngéar-ghéibheann nó caillte, agus bhí sé ag síorchoimheád na báighe, agus ag cuartú na scealp agus na mbeann ag feitheamh lena cholainn nó na chorp báite a fheiceáil.

Bogstócach an chéad duine a labhair, an chéad duine a thug fá deara curach agus a bhéal faoi ar bhrollach na dtonn taobh amuigh de na bristeacha.

Ansin a d'éirigh an t-olagón géar caointe ón mháthair chroíbhrúite agus ó mhná an bhaile; ansin a chuaigh an arraing ghéar fríd chroí Eoghain Mhóir agus thit na deora lena ghruaidh, ansin a chrom fir chruaidhe farraige a gcinn agus ghoil siad go deorach os íseal. Bhí solas fann an dóchais múchta. Bhí Séamus báite. Thit an mháthair ina cnap i laige agus hiompraíodh í chun tí.

"Nach siúd ceann fir ag nochtadh ar chúl an churaigh!" Mícheál Rua a labhair. B'ea. Bhí sé le feiceáil ag an iomlán anois, fear crochta as an churach agus a ghuailneacha agus a cheann ar ris os a chionn. Bhí Séamus beo go fóill agus thug Mícheál Rua iarraidh chun an chladaigh ar a churach lena tharrtháil. Ach dhearc na hiascairí ar na bristeacha bána idir é féin agus an fear a bhí san fharraige agus bhí a fhios acu dá rachadh aige curach a chur ar an uisce féin nach mbeadh sé beo thar dhá thoinn agus d'agair siad Mícheál gan an dara duine a ghabháil i gcontúirt. Níor chuala Mícheál iad, agus ní fhaca sé na caora farraige. Ní raibh ar a shúil nó ar a intinn ach a chara i gcruachás. I mbomaite bhí an curach ar a ghuailneacha agus é i mbéal na toinne leis. Nuair a chonaic fir chríonna an oileáin nach raibh ciall le cur ann, beireadh thall agus abhus air agus coinníodh dá sheacht n-ainneoin é. Eoghan Mór a chuir ciall sa deireadh ann agus é ag iarraidh briseadh ar shiúl ón mhuintir a raibh sé gabhtha acu. Dúirt sé go raibh eagla air nach saolta bhí an fear a chonaic siad, nárbh fhéidir do dhuine saolta a ghreim a choinneáil ar sheithe sleamhain curaigh san fharraige mhóir sin. Baineadh faoi Mhícheál sa deireadh agus ar an bhomaite d'imigh fear an churaigh faoin uisce agus ní fhacthas níos mó é. Thrácht cailín beag a bhí ann ar bhean dóighiúil rua a fheiceáil le hais an churaigh ach níor cuireadh aon tsuim inti.

Thraoch an stoirm, thit an fharraige, fuarthas easnacha briste an churaigh ar Ghob na Dumhcha lá arna mhárach. Ach corp an fhir a báitheadh ní bhfuarthas thoir ná thiar agus níor dhíobháil nár cuartaíodh in am agus in antráth é. Bhris an buaireamh croí na máthara agus roimhe bhliain ón lá sin bhí sí ar shlua na marbh agus a cnámha sínte fá shuaimhneas i ngainimh Mhachaire Gathlán. D'éirigh Eoghan Mór ina sheanduine roimh a thrí scór gan lúth ina chnámha, solas ina shúile ná sólás ina chroí.

Chaill Mícheál Rua a chroí agus a spiorad, thug sé fuath don fharraige agus don oileán agus as a dheireadh shocair sé imeacht chun an Oileáin Úir. Bhí an lá leagtha amach agus bhí Art Mhánuis, fear as tír mór, le bheith leis. Seachtain roimhe'n lá, bhuail Seán Pháidí as Oileán Bó isteach i dtigh Mhícheáil Ruaidh. Scairt sé i leataobh ar Mhícheál agus thug sé comhairle dó gan seoladh i gcuideachta Airt. Nuair a ceistníodh é cad chuige, d'inis sé go raibh sé an mhaidin roimhe sin ag siúl le bánú an lae chois cladaigh agus é ar thóir éadála, go bhfaca sé an soitheach, a raibh rún acu seoladh uirthi, fána seoltaí bána ag strócadh fríd Bhéal Ghabhla, go bhfaca sé croitheadh á bhaint aisti mar a bhuailfeadh sí cloch bháite agus í ag imeacht ar lorg a deiridh faoi thoinn, go bhfaca sé fir agus mná á mbáthadh agus go bhfaca sé go soiléireach ina measc Art Mhánuis ag titim le taoibh an tsoithigh nuair a bhuail sí agus gan é ag éirí níos mó. Chonaic sé fosta bean dóighiúil rua ag snámh fríd na marbháin mar dhuine a bheadh ag cuartú duine inteacht. Ní raibh aon amhras air nár thaispeánadh a bhí ann agus mhol sé do Mhícheál an imirce a chur ar athlá. Ach ní raibh gar a bheith le Mícheál. D'imigh sé féin agus Art ar shoitheach bheag seoltóireachta ó Chéidh Dhoire. Chonacthas í ag imeacht siar ó Thoraigh lá arna mhárach ach lá dá tuairisc ná scéala aon duine dá raibh uirthi ní tháinig ó shin.

III

Chuaigh na blianta thart, chuaigh an óige i neart agus mheath na seandaoine. Bogstócaigh an oileáin a raibh aithne ag Séamus Eoghain orthu, bhí siad ina bhfir anois. Orthu seo bhí Mánus Éamoinn, an buachaill a chonaic an curach ar tús an mhaidin a cailleadh Séamus. Ní dheachaidh an mhaidin mhí-ámharach sin ariamh as cuimhne Mhánuis ná Mháire Óige, an ghirseach bheag a mhaígh go bhfaca sí cailín dóighiúil rua ag snámh le hais an churaigh; ach muna ndeachaidh féin, ní thug sé crá croí ná buaireamh intinne d'aon duine den phéire ó d'fhág siad laethe uallacha na bpáistí ina ndiaidh.

Chaith siad laethe aoibhne a n-óige ag buachailleacht i gcuideachta agus ba lách carthanach le chéile iad. Coiscéim ar choiscéim tchíthí an péire ag tarraingt chun na scoile ar maidin agus muna gcuireadh an máistir duine acu sa choirnéal bheadh an péire le chéile ar a bpilleadh ar ais. Chuaigh siad in aois agus choinnigh a ghnoithe féin gach duine acu scartha ón duine eile. Ach oícheanna fada geimhridh gheofaí Mánus agus Máire ag airneál sa teach chéanna agus tráthnóna Domhnaigh sa tsamhradh d'fhéadfaí an bheirt a fheiceáil ag imeacht cos ar chois le chéile amach go mullach an chnoic an áit a suíodh siad go neamhbhuartha ag breathnú amach ar an fharraige mhóir, a bhí idir iad agus bun na spéire, agus ag comhrá go soineanta ar na mionrudaí a bhí fite fuaite fríd a saol go díreach mar bhí beatha duine acu fite fuaite i mbeatha an duine eile.

Agus tháinig Domhnach – Domhnach aoibhinn aerach samhraidh. Bhí Mánus Éamoinn agus Máire Bheag ina suí mar ba ghnách ar mhullach an chnoic. Bhí grian an tráthnóna ag luí siar le ceann an oileáin, na buachaillí bó go callánach i gcionn a gcleasa ag bun an chnoic agus na ba ag innilt go beo i ndiaidh a bheith ar an stáca le teas an mheán lae. Bhí clár mín na mara ag spréacharnaigh sa ghréin. Le sin nocht Talamh Chlainn tSuibhne siar uathu ach, i bhfaiteadh na súl bhí sé imithe ar ais. Stán an bheirt ar an áit ar feadh i bhfad mar shúil go rachadh acu amharc eile a fháil ar an oidhreacht a bhí geallta do phór Chlainn tSuibhne.

Ní dheachaidh.

Chuir rince na gréine i mbrollach na mara míne draíocht éigin ar Mhánus. Níor labhair sé ar ghrá le Máire ariamh; ach anois níor fhéad sé an rún a bhí ag réabadh a chléibhe a choinneáil uaithi níos faide. Nocht sé di go faiteach agus go simplí gurbh í a rogha thar mhná an tsaoil, agus d'fhiafraigh di go cúlta an rachadh sí i gcionn an tsaoil leis le iad araon é a threabhadh i gcuideachta. Las gruaidh Mháire agus líon a croí. Chuir sí a lámh bheag mhín i gcráig ghairbh láidir Mhánuis agus nuair a chuaigh aici labhairt, d'inis sí dó gurbh eisean a cuid den tsaol agus gurbh é a céile má bhí céile i ndán di. Ansin ar bharr an chnoic i bhfianaise na ndúil agus na ndéithe thug na leannáin óga lámh agus focal dá chéile go bás don phéire. Ba gheal an lá, ba lán a gcroíthe agus b'éadrom a gcoiscéim anuas taobh an chnoic an tráthnóna sin.

Ach bhí leannán eile ag brath ar Mháire, an gadaí glic a thigeas go fealltach i nduibheagán na hoíche ar choiscéim éadtrom éascaidh. As lár a sláinte thit Máire i mbreoiteacht. Dúirt daoine gur neamart a rinne sí i slaghdán a tháinig uirthi ach dúirt daoine eile nach saolach don té a bhíos róshoineanta, agus char shoineantacht go Máire, agus nach dtáinig an bás gan leithscéal. Ar dhóigh ar bith, thoisigh an coimheascar idir an bás agus Mánus fán chailín chaoin cheansa. Ar feadh tamaill mheall an fear óg an t-othar chun sláinte agus ba dóigh le duine gur leis an bhuaidh. Ach shantaigh an bás gnaoi na hóige agus i ndeireadh na dála sciob sé an bhuaidh agus an cailín ó Mhánus. Chonaic an duine bocht an cailín a bhí luaite leis i gcónair chaoil agus leagtha in uaigh fhuair agus an fharraige ag gabháil idir é agus í. Arbh iontas gur dhubh a chroí agus gur throm a chos agus é ag tarraingt chun an bhaile oíche an tórraimh.

IV

Bhí Máire Bheag bliain curtha agus bhí Mánus Éamoinn ag pilleadh chun an bhaile ina churach le titim na hoíche tráthnóna samhraidh i ndiaidh a bheith ag iascaireacht ag Boilg Chonaill. Bhí an loit a d'fhág bás Mháire Bige i lár a chroí chóir a bheith cneasaithe agus bhí sé ag meabhrú ar chora cruaidhe an tsaoil. Bhí cailín eile ag éirí ina shúile anois agus ar ais agus d'admhaigh sé ina intinn féin gur thaitin a méin agus a pearsa leis. Tháinig Máire ina chionn agus na laethe sona a chaith siad i bhfochair a chéile; ach d'imigh Máire leis an bhás agus d'fhág sí é, agus ní bheifí ag dréim leisean fanacht ina muinín anois fuar folamh go deireadh a ré.

Le sin féin tigidh an curach caol bán lena thaoibh! Tháinig sé fá shiúl ghéar gan rámha gan céaslaidh agus fear fá chulaith gheal bhán, comh bán leis an tsneachta ba ghile a chonaic sé ariamh, ina shuí ann. "Curach sí," dar le Mánus agus tháinig laige croí air. Labhair fear an churaigh agus dúirt leis misneach a bheith aige, nárbh eagal dó eisean.

Nuair a tháinig Mánus chuige féin, chuir fear an churaigh ceist air nár aithin sé eisean. D'amharc Mánus go géar air agus chonacthas dó gur chosúil an fear le Séamus Eoghain Mhóir a báitheadh na blianta ó shin. Ach bhí aghaidh air níos gnaíúla ná a chonaic sé ar fhear shaolta ariamh. Ina dhiaidh sin bhí dreach san aghaidh a thaispeáin go raibh buaireamh éigin os cionn an duine ar leis í. Níor labhair Mánus nó níor lig an eagla dó labhairt agus lean fear an churaigh leis.

"Is iomaí oíche le dhá bhliain déag mé féin agus mo churach

bán ar bharr na dtonn ag feitheamh le duine 'fheiceáil a n-inseochainn mo scéal dó. Go mion minic aroimhe, chuaigh mé le do thaoibh i ngan fhios duit nó ní raibh sé ceadaithe domh mé féin d'fhoilsiú duitse nó do neach ar bith eile a ghlacfadh laige croí. Anocht thug mé fá deara go bhféadfá an scanradh a fhuilstin agus seo chugat mé."

Bhí an dá churach ag laparnaigh ar bharr an uisce nó níor tharraing Mánus buille ó baineadh an chéad léim as a chroí. Bhí sé ar bharr amháin creatha ach ina dhiaidh sin thuig sé nárbh eagal dó an duine sí a bhí aige.

"Mise," ar fear an churaigh, "Séamus Eoghain Mhóir, a d'fhág an baile tráthnóna álainn samhraidh conablach dhá bhliain déag ó shin agus mé ag gabháil ar thóir deargóg. Nuair a sháraigh mé den iascaireacht tugaim mo shúil ar luí gréine agus tchím sínte romham amach go bun na spéire oileán na meala, Talamh Chlainn tSuibhne, an oidhreacht is dual do mo chine. Míle uaim a mheas mé é a bheith agus tharraing air go fonnmhar agus súil ghéar agam ar an tseoid luachmhair a gcuala mé iomrá go minic air ó tháinig ciall agus cuimhne chugam ach nach bhfaca mé ariamh go dtí an bomaite sin. Dar liom gur mé an gas de Chlainn tSuibhne a mbeadh sé d'ádh air an talamh diamhrach a bhaint amach.

"Bhí mé fá bheagán buillí de agus mo shúile lán dá bhánta glasa agus dá choillte cumhra nuair a shín mé mo lámh ar mo chúl sa churach le cloch 'fháil a d'fhágfadh an saibhreas seo agam le mo ré. Baineadh truisleadh mí-ámharach domh agus d'éirigh toiseach an churaigh idir mé agus m'fhaire. Mo léan! Nuair a bhí mé ar mo ghlúine ar ais agus an chloch i mo láimh, bhí an t-oileán imithe glan as mo radharc, slugtha síos i gcraos domhain na farraige agus Séamus 'ac Suibhne fuar folamh ar dhroim na tuile.

"Bhí mé cortha tuirseach, chuir mé mo chéasla trasna ar bhéal an churaigh agus thoisigh mé a mheabhrú ar mo mhí-ádh. D'éirigh an teach, inar tógadh mé, os coinne mo shúl; bhí m'athair agus mo mháthair fite fuaite i ngach rud dá dtáinig i mo chionn. Bhuail cumhaidh mé ansin liom féin ar fhairsingeacht na dtonn agus níor fhág an galar sin mo chroí ó shin. Ní thug mé fá deara go dtí sin an fad a bhí mé i bhfarraige nó go raibh an doineann ag éirí. Thug mé iarraidh ar an bhaile ach d'éirigh an t-anfa, tiontaíodh an curach; agus i ndiaidh iarraidh snámh chuaigh mé síos, síos, síos go tóin na farraige duibhe gur síneadh mo chorp ar leabaidh shleamhain leathaigh.

"Gearr mo chónaí ansin go dtáinig chugam slua sí na díleann, na maighdeana mara. Tháinig siad ann gach bean agus cíor phéarlach i bhfostú ina folt craobhach rua. Sheinn siad an ceol ba mhilse a chuala cluas agus ghabh siad suantraí i nglóraibh boga binne fad agus bhíthear 'mo luascadh anonn is anall gur thit mé i sámhchodladh.

"Le spéarthaí 'n lae dúisíodh as mo chodladh mé agus tchím banríon na maighdean le m'ais. Ba chaoin a méin agus ba bhinn a guth ceolmhar agus í ag fáiltiú romham go linntibh mara Mananán. Thóg sí léithe ansin mé agus í ag inse domh go raibh grá a croí ina chónaí ar oileán Ghabhla, gur shona a saol dá mbíodh Mícheál Rua Ó Domhnaill, mo chomrádaí, aici mar chéile ina hallaí péarlacha ar thóin na dtonn.

"Thóg sí in airde mé ar chúl an churaigh agus choinnigh ansin mé ag mealladh Mhícheáil Ruaidh chun a bháite. Nuair a ghabh a chairde é agus chonaic sí nach raibh maith a bheith leis, d'imigh sí agus mise ina cuideachta; agus ariamh ó shin, i hallaí bána faoi Umthuinn atá mo chónaí.

"Agus níl imeacht ar bháthadh ag an té a dtugann maighdean mhara searc is grá dó. Tá Mícheál Rua Ó Domhnaill i gcuideachta na céile a ghráigh é agus is geal a shaol ó thoinn go toinn go meidhreach, a bhanríon lena thaoibh agus na mílte maighdean péarlach ag freastal orthu araon.

"Ní fhaca súil is níor chuala cluas an áilneacht atá i ndán don té a bhfuil a chónaí faoi bhrollach na mara. Ghníthear dearmad de bhaile agus de mhnaoi, de chlainn agus de chairde faoi dhraíocht na maighdean péarlach. Ar an drochuair domhsa, briseadh na geasa nuair a tógadh mé ar amharc an bhaile agus mo chairde gaoil le Mícheál Rua a mhealladh chun a bháite. Ó shin, tá arraing ghéar fríd lár mo chléibhe. Tá an baile ag glaoch orm, agus an cró beag aol-nite ar mhalaidh sléibhe a mo mhealladh ar ais. Nuair a chomóraigh mé corp mo mháthara trasna na báighe go Machaire Gathlán, nó bhí mo churach bán sa tórramh, lagaigh a ghreim orm a bheagán nó a mhórán, ach is láidir go leor é fós le mo tharraingt chuige agus chuig an tseanduine dheorach chroídhóite tá ag caoineadh a mhná agus a mhic go deireadh a lae.

"Dhá bhliain déag atá caite agam faoi Umthuinn agus mar nach dtug mé searc nó grá do bheith sa chónaí mara sin, beidh mo thriall Oíche Fhéil' na Marbh seo chugainn go Bruíon mhór Chlochair Mhic Neachtain, an áit a mbeidh orm fanacht le Lá an Bhreithiúnais.

"Agus anois m'achainí! Buailfidh slua Umthuinn' talamh ar an Tráigh Dheirg ar uair an mheán oíche an oíche sin, agus beidh marcaigh ansin ag fanacht liom le mo threorú go bun an tsléibhe. An bomaite 'chuirfeas mise cos ar an ghaineamh agus sula dtéim a mharcaíocht ar an chapall a bheas ag fanacht liom, má ghní duine saolta ciorcal fá dtaobh domh ar an ghaineamh agus glaodh fá thrí orm i m'ainm, beidh mé caillte ar na marcaigh, agus beidh sé ar mo chumas pilleadh ar ais 'na bhaile.

"A Mhánuis Uí Bhaoill, cuirim mé féin i do mhuinín. Uair an mheán oíche, Oíche Fhéil' na Marbh!"

I bhfaiteadh na súl bhí an curach bán imithe. Chuimil Mánus a shúile. An raibh tais ann dáiríribh, nó an néal codlata a thit air! D'amharc sé thart. Bhí beanna borba Thor Uí Dhorogáin ag éirí os a chionn; bhí Umthuinn ina dhiaidh. Le sin fosclaidh taobh na binne, tig gath géar solais amach fríd, cluin sé marbhghlór ceoil ar an aer chiúin, tchí sé curach caol bán ag imeacht isteach sa scealpaigh. Ansin dorchadas dubh druidte agus tromshuaimhneas na huaighe.

Ní raibh lá amhrais air anois. Bhí Séamus Eoghain Mhóir aige go cinnte. Nár mhillteanach na geasa a chuir sé air. Tháinig sruth fuar allais le malaíocha Mhánuis agus bhí crith ar an láimh a theann ar an chéaslaidh.

Níor lig Mánus a rún le haon duine ach bhí ceapaithe aige a bheith ar an Tráigh Dheirg oíche Fhéil' na Marbh agus a dhícheall a dhéanamh do Shéamus. Ar feadh seachtaine nó níos mó ní raibh oíche nach raibh Séamus Eoghain aige agus é ag brionglóidigh. Corruair bhíodh an péire ag iascaireacht i gcuideachta, corruair bhíodh Mánus ag fanacht le bomaite an mheán oíche agus é ar an Tráigh Dheirg. Amanna eile bhíodh Séamus á mhealladh isteach sna beanna in Umthuinn agus bhíodh an duine bocht ag clismearnaigh ina chodladh leis an scanradh. Ach i gcónaí, d'agradh Séamus é a bheith roimhe ar an tráigh.

V

De réir a chéile tháinig Mánus chuige féin, agus tháinig an smaointeadh a bhí ina chionn an oíche a tháinig an curach sí air, tháinig sin chuige ar ais. D'éalaigh Máire Bheag leis an bhás agus d'fhág sí eisean i mbrón ina diaidh. Nár dhorcha na laethe agus nár throm a chroí i ndiaidh a leannán dil a fheiceáil sínte faoi fhód! Ach tháinig sólás le caitheamh na bliana agus anois tháinig Síle Ní Dhuibhir ina shúile. Bhí sé uaigneach agus cé a bheadh ina dhiaidh air má thug sé taitneamh do chuideachta Shíle. Bhí sí modhúil, maiseach, mín. Rinne a comhrá ciúin agus a gáire croíúil croí Mhánuis, a bhí ina ghual dubh le bliain thart, beo arís. As carthanacht d'fhás grá, agus ba í Síle Ní Dhuibhir a chuir "Choimrí 'n Rí thú" leis agus é ag tarraingt chun na Trágha Deirge ina churach Oíche Fhéil' na Marbh.

Bhí gealach na gconlach go hard ar an aer, spéir ghlan, greannta le réalta do-áirithe, agus loinnir ar na méilte gainimh fá dtaobh de nuair a shuigh Mánus ar éadan cloiche ar imeall na trágha a fhanacht leis an tslua sí. Dhearc sé ar an tseisreach crochta sa spéir, agus mheas sé fá uair don mheán oíche de. Tharraing sé air a phíopa agus las é. Bhí beaguchtach agus uaigneas ag teacht air. Dá mbíodh sé sa bhaile anois, ní fhágfadh sé é gan cuideachta leis. Smaointigh sé ar na mairbh a bhí sa reilig os a chionn. Bheadh siad uilig ag éirí gan mhoill agus ag tabhairt iarraidh ar na sean-árais. An dtiocfadh aon duine acu an bealach sin?

Mhothaigh sé coiscéim éadtrom ag tarraingt air. Chuaigh sé lena thaoibh. Ní fhaca sé dadaidh, ach chuala sé an choiscéim ag éirí éadtrom agus níos éadroime mar bheadh duine ag imeacht uaidh. Rinne sé comhartha na croiche, agus theann ar an scian a bhí ina phóca. Bhí slua na marbh ina thimpeall, ach bhí an t-iarann beannaithe. Ar ais chuala sé na coiscéimeacha ag teacht is ag imeacht uaidh. Ghuigh sé Dia suaimhneas a thabhairt do na mairbh. Tháinig Máire Bheag ina chionn. An raibh sise ar a cois? – an rachadh sí trasna na báighe le uair a chaitheamh ar theallach a hathara? – an dtabharfadh sí cuairt thart ar an áit ar chaith siad araon a n-óige?

Mhothaigh sé tormán ar an ghaineamh, thóg sé a shúil agus bhí Máire Bheag os a chomhair. Thug a chroí léim agus bhain an scanradh an anáil de. D'éirigh ceo ar a shúile agus chuaigh an tsíbhean as amharc. Ach i mbomaite ghlan an ceo agus chonaic sé a chéadsearc ina seasamh roimhe. Níor scoilt a béal, agus níor lig an eagla do Mhánus labhairt. Ní mó ná sin a thiocfadh leis a shúile bhaint aisti.

Ba chumtha chaoindhéanta í ar an tsaol seo, ach ní fhéadfaí áilneacht shaolta a chur i gcosúlacht le gnaoi na mná a bhí os a choinne. Ba mhinic a chonaic Mánus áilneacht a croí fríd a rosca glana, ach bhí a súile brónacha ag caint leis anois, ag éileamh air cionnas a háit a thabhairt do Shíle Ní Dhuibhir; ag guí air imeacht le grá a óige, imeacht go tír álainn i bhfad ar shiúl, go tír nach raibh buaireamh, ná pian, ná bás i ndán do na daoine a bhí inti; imeacht i bhfochair a Mháire Bige féin agus gan scarúint uaithi go deo na ndíleann.

Shín sí amach a dhá láimh, á mhealladh léithe. Las an seanghrá i gcroí Mhánuis. I mbomaite bhí tine thréan ar lasadh ina lár. Níor fhéad sé leannán a óige a dhiúltú. D'imeochadh sé léithe. Thug sé iarraidh bogadh, a dhá láimh a shíneadh chuici, ach ní raibh sé ábalta. Bhí sé greamaithe in áit na mbonn. Níor thóg sé a shúil as an tais gur leáigh sí amach in aer chiúin na hoíche.

Bhí Máire Bheag imithe ach bhí mian mhínádúrtha fágtha i gcroí Mhánuis. Chuala sé tormán mar bheadh curach ag bualadh gainimh mín trágha, ach bhí dearmad déanta ag Mánus den ghnoithe a thug ansin é. D'airigh sé coiscéim sa ghaineamh ach níorbh uirthi a bhí a aird. Bhí a shúile sáite sa bhall ina bhfaca sé a spéirbhean mar shúil go bpillfeadh sí fána choinne aríst. D'éirigh seitreach capaill ar an oíche chiúin, thóg Mánus a shúil agus chonaic ceo gainimh ag éirí idir é agus an méile. Ansin smaointigh sé ar Shéamus Eoghain Mhóir ach bhí sé mall. Bhí Séamus ar a bhealach go Clochar Mhic Neachtain.

Fear tromchroíoch, bánliath ón aon oíche, a bhuail tráigh ag Port a' Bháid le bánú an lae ar maidin. Fuar fann a choiscéim ag tarraingt ar a bhaile agus ar a leabaidh, nár fhág sé gur síneadh é i gcónair chaoil chlárai. Ina chodladh, chluinfí é ag caint le Máire ag iarraidh uirthi a theacht fána dhéin agus é a threorú ar shiúl go tír gheal an ghrá. Idir Nollaig agus Inid scar sé leis an tsaol seo i ndiaidh iarraidh é a chur ag taoibh Mháire Bige. Tá an dís fá shuaimhneas ar scáth na seanbhallaí i Reilig Mhachaire Gathlán.

(CRÍOCH)

III

Céile Sheáin Mhóir

Céile Sheáin Mhóir

I

Bhain Seán Mór Ó Rabhartaigh a bheo as an fharraige agus as an phaiste beag talaimh a bhí aige lena hais. Ní raibh lá sa bhliain, dá mba lá é le ghabháil ar farraige, nach bhfeicfí é féin agus a churach thall nó abhus ar an bháigh. Agus nuair a bhíodh an doineann ar cois, shiúileadh sé chois cladaigh ag cuartú éadála.

Ar astar den tsórt seo a bhí sé an chéad uair a chonaic sé an mhaighdean mhara. Chonaic sé í le breacadh an lae agus í ina suí ar chreig i mbéal na toinne. Léim a chroí i lár a chléibh nó in aon chearn dár shiúil sé ariamh ní fhaca sé a macasamhail féin eile d'óigmhnaoi dhóighiúil. Níor dhuibhe an t-airne ná a súil bhog faoi mhalaidh thanaí.

"Ina gnaoi do bhí an lí gheal le rósaibh
Ag coimheascar, as nárbh eol domh cé ghéill."

Ba tanaí a béal ar dhath na gcaor agus mar shneachta síobtha a brollach mín. Ó bhaithis go coim, bhí crochta síos léithe folt trom dubh. Ag a taoibh bhí bearád dearg agus cíor phéarlach ina láimh agus í ag cíoradh agus ag síorchíoradh a gruaige míne.

Agus mar a chíor sí, cheol sí – ceol binn sí, ceol a mheallfadh an breoiteán chun sláinte, nó a bhréagfadh an naíonán cortha chun suain. Thit Seán Mór Ó Rabhartaigh thar mhullach a chinn i ngrá léithe; ach níor luaithe a thug sí fá deara é ná chas a cíor ina cuacha dubha, tharraing a bearád thar a baithis agus thom í féin faoi thoinn.

B'iomaí uair ina dhiaidh seo a bhuail Seán Mór fán chladach; ach ní ag dréim le héadáil a bhíodh sé ach ag súil leis an mhaighdean chaoin mara a fheiceáil. Go minic a tchíodh sé í fosta, ach sháraigh air í a mhealladh chuige cé gur mhinic a d'fhiach sé le sin a dhéanamh. Ní bhíodh de bharr a shaothair aige ach an bearád dearg a fheiceáil dá tharraingt uirthi agus í ag imeacht go fáilí faoi thoinn.

Ach sa deireadh thiar thall, bhí an t-ádh air. Maidin amháin casadh sa tráigh é sula dtáinig an chéad bhreacadh sa spéir. Sheas sé ar chúl na creige a suíodh an spéirbhean uirthi. Ní raibh sé i bhfad ansin gur éirigh sí aníos go suaimhneach as an fharraige ghlais agus gur shuigh ar mhullach na creige. Ní thug sí fá deara Seán agus shuigh sí ansin go neamhbhuartha. Bhain di an bearád agus d'fhág ar an chreig é, tharraing a cíor as a cuacha, agus thoisigh a chíoradh agus a cheol.

Bhí croí Sheáin ina bhéal. Ní ligfeadh sé uaidh í an iarraidh seo. Shín sé suas a lámh go fáilí le greim sciatháin a fháil uirthi ach níor luaithe a mhothaigh sí a mhéara ar a craiceann ná lig sí scread scáfar as lár an cheoil agus chuaigh de léim i bhfarraige. Ach rinne sí dearmad den bhearád agus ba mhaith an mhaise do Sheán é, bhí sé sciobtha leisean.

Nuair a chrothnaigh sí é, chuir sí a ceann amach as brollach na toinne agus chonaic ag Seán é. D'iarr sí air é a thabhairt di mar nach dtiocfadh léithe imeacht gan é. Níor chuala Seán Mór ariamh briathra ba bhinne lena chluais. Bhí sí aige anois dá seacht n-ainneoin, agus ba é féin nach ligfeadh uaidh fá dheifre í.

Ghuigh sí agus d'agair sí é a bearád a thabhairt dithe ach sin a raibh ar a shon aici. Gheall sí dó péarlaí ba ghile agus ba ghlaine deoir, ach ní shásóchadh ach aon phéarla amháin i bhfarraige Seán – chaithfeadh sé í féin a fháil. Bhagair sí fearg na farraige air, ach ní raibh deamhan i bhfarraige nó ar talamh a rachadh idir é féin agus í anois. Agus nuair a sháraigh gach sórt agus chonaic sí nach raibh maith a bheith leis, tháinig sí isteach chuige, chuir a lámh ina lámhsan agus chuaigh leis chun an bhaile le bheith mar chéile aige. D'inis sí dó fad agus bheadh an bearád as a hamharc nach n-iarrfadh sí imeacht uaidh, ach an uair amháin a gheobhadh sí ina láimh é, nach mbeadh cumhacht ar talamh a choinneochadh as an fharraige í.

II

Chuir sé an bearád i bhfolach go cúramach an áit nach mbeadh aon chontúirt uirthi é a fháil agus d'athraigh sé é ó am go ham. Chuaigh na laethe thart go pléisiúrtha don lánúin óig, nó níorbh é amháin go dtug sí grá agus greann i mbeatha Sheáin, ach tháinig an t-ádh lena linn agus d'éirigh an saol go geal leo.

Le ham tháinig cúpla naíonán, dhá ghirsigh, chun an tsaoil chucu. Bhí croí Sheáin lán fá mhaol anois, nó d'ainneoin iolmhaitheas an tsaoil, is fuar folamh agus is bocht an teallach nach gcluintear gáire geal an linbh aige. Mar a tháinig neart ins na páistí ba léir go dtug siad gnaoi a máthar agus a dóigheanna diamhra leo.

Lá amháin agus Seán as baile bhí na páistí ag déanamh cuideachta thart fán teach. Bhí siad ag uthairt ar fhiche rud, ach sa deireadh fuair siad an caipín beag ba deise dá bhfaca súil ariamh, agus rith siad chun an tí leis gur thaispeáin dona máthair é. Níor luaithe a chonaic sise é ná fuair draíocht na farraige greim doscaoilte ar a croí. Bheir sí ar an bhearád as lámha na bpáistí, theann lena croí, agus chuir ar a cionn é. Ní choinneochadh cion a fir ná grá a clainne ón tsaol aoibhinn ba dual di níos faide í. D'éirigh sé anois os comhair a haigne, saol soineanta na maighdean mara, ag triall leo go haerach ó thoinn go toinn, ag rince go meidhreach ar urlár mhín na mara, ag folacháin in uaimheacha uaigneacha fá bhun na mbeann, ag éirí aníos as ucht na farraige ar chreig mara a réitiú a bhfolt craobhach agus, cáitheadh na dtonn mar phéarlaí róluachmhara i ngréin ghil maidne fána dtaoibh.

D'fháisc sí a clann lena hucht agus phóg go dil díocrach iad; agus ansin, d'imigh léithe gan oiread agus amharc ina diaidh gur thom í féin san áit a raibh gath na gréine ag rince ar chlár mhín na mara.

Lean a clann í agus iad ag impí uirthi iad a thabhairt léithe. Sheas siad ar bhruach na trágha ag caoineadh go leanbaí truacánta, agus ag coimheád ar an áit ar dhruid uisce goirt na farraige os cionn cinn a máthar dílse. Ba ansin a fuair Seán Mór iad nuair a phill sé 'na bhaile agus fuair sé teach fuar folamh roimhe, a chreach déanta, agus a nead millte. Ghoin gach focal é dár inis na páistí dó fán chaipín dearg a fuair siad i bhfolach i gcruach an fhéir agus a chuir a máthair fána cionn. Bhí a chéile chaoin caillte aige agus a pháistí fágtha gan máthair. Shuigh an triúr go tostach cráite os cionn na mara go ndeachaidh grian an tráthnóna i bhfolach i bhfarraige ag bun na spéire, ach ní raibh dadaidh acu de bharr a bhfaire.

Nuair a thit an dorchadas, chuaigh siad 'na bhaile agus nuair a chuir Seán na páistí fá shuaimhneas, phill sé féin fán chladach ag súil go dtiocfadh an mhaighdean ar an chreig le bánú 'n lae. Ach ní tháinig. Chuaigh sé 'na bhaile agus é buartha, brúite, brónach, agus d'fhiach sé lena intinn a leagan ar ghnoithe an tí. Ach, an duine bocht! – ní ar obair ná ar ghnoithe an tsaoil a bhí a iúl anois. Munab é a chuid páistí beaga a fhágáil gan máthair gan athair, gan dubh gan dath, rachadh sé síos 'na chladaigh agus chaithfeadh sé é féin sa toinn i ndiaidh a chéile caoine.

Anonn sa lá chrothnaigh sé na páistí agus chuaigh sé ar a lorg. Bhí tuairim aige gur 'na trágha a bheirfeadh siad iarraidh agus chuaigh sé ansin. Ar a theacht ar amharc an chladaigh tchí sé na páistí agus an mháthair ina suí in imeall an tsáile, an mháthair ag cíoradh agus ag deisiú folt fionnbhán na naíonáin agus í ag ceol go bog binn mar mháthair ag cealgadh linbh chun suain.

Níor fhan Seán le hamharc cár chuir sé a chos ach sula dtáinig sé fá fhad scairte dhi, bhog sí go héadtrom agus thom í féin san uisce. Agus í ag gabháil as amharc, shín sí amach a dhá láimh chuig Seán agus chuig a páistí mar bheadh sí á mealladh léi faoi thoinn, nó mar bheadh cumhaidh uirthi á bhfágáil.

Ón lá sin amach, in am éigin sa lá, d'éalaíodh na páistí 'na trágha i ngan fhios dá n-athair agus thigeadh an mháthair chucu go gcíoradh a gcuid gruaige.

Ach lá amháin, d'imigh na páistí, agus char phill siad. Nuair a chuaigh Seán Mór ar a lorg, tchí sé iad fá bhearáid dhearga mar a máthair, agus í mar aon leo ag rince go meidhreach i gcraiceann an uisce. D'fhan siad go dtáinig sé fhad leo agus ghlaoigh chun siúl air. Níor fhan Seán leis an dara cuireadh. Gan oiread agus amharc ar an bhaile inar tógadh é, chaith sé é féin ar bharr na toinne agus scolb ná scéala chan fhuarthas ina thaoibh, beo nó marbh, ón lá sin.

(CRÍOCH)

IV

Lorg an Phóitín

Lorg an Phóitín

FOIREANN:

Eoghan Mór
Seán Bán
Séamus Beag
Máire Bhán (Máthair mhór Shéamuis Bhig)
Mícheál Óg (Comharsa)
Peadar Nóra (Comharsa meánaosta)
Tomás Phadaí
An Dochtúir
Bean an Dochtúra
Cailín aimsire an Dochtúra
An Sagart 'ac Aoidh
Nóra (Cailín aimsire an tsagairt)
An Máistir
Páistí scoile; ina measc tá:
    Padaí Shéamuis 'ac Ruairí
    Domhnall Bán Ó Gallchobhair
    Séamus 'ac a' Bhaird
    Éamonn Sáighis
    Seán Ó Canann
Padaí Rua
Séamus Nóra (Deartháir Pheadair Nóra)

GNÍOMH I
Radharc 1

ÁIT: An chisteanach i dtigh Shéamuis Mhóir. Cisteanach mar bíos i dteach tíre – leabaidh inti, cathaoireacha, stóltaí, agus an miontrioc eile a bhíos i dteach den chineál sin.

AM: Tráthnóna bog samhraidh, 1920.

I LÁTHAIR: Máire Bhán (máthair mhór Shéamuis Bhig) agus í ag cniotáil; Séamus Beag agus é ag cur dóighe ar ráca; Mícheál Óg (bog-sheanduine), Seán Bán, agus Eoghan Mór (comharsanaí atá ina suí thart).

(Mícheál agus Seán ag caitheamh tobaca. Tig Peadar Nóra, fear meánaosta, isteach.)

PEADAR Dia anseo.

MÁIRE Dia is Muire dhuit, a Pheadair. Buail aníos 'na tineadh, agus suigh ar cheann an stóil seo thall.

PEADAR 'Mo shuí ó mhaidin atá mé. Bhí mé féin agus an fear óg ag imeacht 'na phortaigh go díreach nuair a thoisigh an bhailc mhór. Ní raibh againn ach na cléibh a chaitheamh uainn agus suí ansin, agus ní mó ná gur chuir mé cos taobh amuigh den doras ó shin go dtí mo theacht amach anois.

SÉAMUS Is milltineach an lá báistí tá déanta aige ó mhaidin agus leoga bhí sé 'dhíobháil go cruaidh, ná ní raibh greim féir ag fanacht ar an talamh ag an eallach.

SEÁN BÁN Dhéanfaidh sé maith don choirce fosta. Nach sin dath rua air 'dhíobháil boglaigh. Seo dhuit, a Pheadair...,

(Ag síneadh píopa dearg chuige.)

... tarraing toit as seo nuair atá sé dearg.

PEADAR *(Ag breith ar an phíopa.)*

Níl mórán déanta inniu againn ach ag caitheamh agus ag ithe.

(Caitheann sé an píopa.)

EOGHAN MÓR Tá scíste beag go leor ag duine corruair, agus nach sin a mbíonn againn – corrlá fliuch mar seo.

MÍCHEÁL ÓG D'aithin mé 'réir ar an ghréin go raibh seo uirthi. Bhí sí báiteach i gceart ag gabháil i bhfarraige dithe.

SEÁN BÁN Bhí, agus níor mhothaigh mé na míoltógaí comh géar i mbliana agus a bhí siad ar an chaorán mhór tráthnóna inné. B'éigean domh féin bachta mónadh 'bhí mé athchróigeadh a fhágáil ansin agus an baile 'bhaint amach leo. Agus righin mar tá'n craiceann ar Mhánus Chormaic Ruaidh, chuir siad an tóir air fosta. I dtaca leis an toicí bheag seo thoir de, ní raibh ann ach nár scuab siad leo amach taobh an chnoic idir chorp agus chleiteacha é agus é ag tógáil mhónadh taobh thall dínn.

(Téidh Séamus Beag amach.)

EOGHAN MÓR Maise, dá dtógadh féin, ba bheag an chaill, giolla na hainise. Seisean á mharú féin le mónaidh agus ag sábháil airgid do dhaoine eile, chead is gan páighe lae 'thabhairt do dhuine bhocht inteacht le saothrú uirthi.

PEADAR *(Ag síneadh a phíopa ar ais chuig Seán, agus eisean dá chur ina phóca.)*

Cé gur cruaidh fán airgead é, bainfidh boc inteacht cuideachta go fóill as, agus eisean ar chúl a chinn sa reilig úd thíos agus beagán iomrá air.

(Tig Séamus isteach agus bacla mónadh leis. Cuireann an tseanbhean an mhóin ar an tinidh.)

SÉAMUS 'Bhfuil scéal iontach ar bith ar na páipéir ar an tsaol seo, a Pheadair?

PEADAR Dheamhan dath orthu maise, ach an troid agus an marfach tá fríd an tír agus beagán cosúlachta air stad.

MÍCHEÁL ÓG Ní stadfaidh sé an iarraidh seo go raibh an Sasanach deireanach buailte amach as an tír.

EOGHAN MÓR *(Go magúil.)*

Nach amaideach an chaint atá ort, a Mhícheáil Óig, agus nach amaideach an mhaise d'fheara óga na tíre seo a bheith ag dréim le buaidh 'fháil ar Impireacht na Sasana. Ní féidir a leithéid a dhéanamh agus níl na hamadáin bhochta seo ach ag milleadh na tíre in áit cuidiú léithe.

MÍCHEÁL ÓG *(Ag amharc ar Eoghan go fiánta agus an nimh i ngach focal aige.)*

Ní bheinn ag dréim lena athrach ó mhac d'athara, fear a chaith a shaol fá thóin an tiarna. Nár mhór ort nach bhfuair tú féin obair fán teach mhór ariamh! Sea go dearfa, tusa 'caint! Ní mórán cabhrach d'Éirinn tusa, agus is é do leithéid is dóiche locht 'fháil ar na Gaeil fhíora ar measa leo a dtír ná a mbeatha. Seo scéal gach Seoinín, "Ní féidir buaidh na Sasana 'fháil!" Is féidir a buaidh 'fháil, agus gheofar an iarraidh seo í. Dá mbeadh lúth na gcnámh liomsa, mar bhí lá de mo shaol, agus gan de chúram orm ach mar tá ort féin agus ar Sheán Bhán ansin, ní ag gabháil thart fríd sheandaoine 'bheinn ach faoi mo ghunna ar thaobh an chnoic i gcuideachta na bhfear is breátha d'oil máthair ariamh.

MÁIRE Maith thú, 'Mhícheáil Óig! 'Sheacht n-anam fir óga ár dtíre agus go n-éirí an lá leo!

SÉAMUS Amen.

MÍCHEÁL ÓG Éireochaidh an lá leo! Nach sin Seán Buí an bhoilg mhóir ag tarraingt isteach a chuid crúb cheana féin cé gur mór cumhachtach ag Eoghan Mór é.

SEÁN BÁN Dá mbeadh d'athair mór beo anois, a Shéamuis, nach air a bheadh an lúcháir na péas a fheiceáil glan amach as an phobal.

SÉAMUS Creidim go mbeadh, nó cluinim gurbh iomaí rása maith a bhain siad ariamh as fad agus bhí sé 'stiléireacht.

MÁIRE *(Go bródúil.)*

Níor bheir siad ariamh mar sin féin air agus ní chuirfeadh siadsan óna dhéanamh é, munab é an eaglais. Stad sé de ar chomhairle an tSagairt Mhóir.

PEADAR Má stad féin ní ar phócaí folmha. Bhí neart airgid déanta aige féin agus ag Mícheál nuair a stad siad. 'Bhfuil a fhios agat, a Shéamuis, ní thiocfadh leat níos fearr a dhéanamh ná toiseacht thú féin anois air. Dhéanfá do shaibhreas air in am ghairid agus an luach atá ar bhiotáilte sna tithe leanna. Tá gléastaí Shéamuis Mhóir agat, agus bheadh do mháthair mhór anseo ábalta tú 'chur ar an eolas lena dhéanamh. Dheamhan a mbeadh 'mhoill ort, a deirim!

MÁIRE Breast thú, a Pheadair! Ag cur a leithéid i gcionn mo linbh! Agus leoga féin, má bhíonn sé gan an t-eolas sin go bhfuighidh sé óna mháthair mhóir é, beidh fanacht air leis.

PEADAR Cad chuige sin, a Mháire?

MÁIRE An a gheall ar mo ghasúr bocht a chur chun drabhláis a bheifeá le do chuid amaidí chainte?

PEADAR Sea ach, a Mháire, ní bhlaiseann Séamus aon deoir biotáilte é féin agus amharc an t-airgead a dhéanfadh sé air. Bhí sé ina fhear uasal ar an bhomaite agat – bhí sin.

MÁIRE *(Go brónach.)*

Níl duine de mo mhuintir fágtha ar an tsaol agam ach é. Agus b'fhearr liom ná é ina fhear uasal ar an dóigh, b'fhearr liom é 'fheiceáil agus an mála air ag cruinniú a chodach ó theach go teach. B'fhearr liom é 'fheiceáil sínte san uaigh ná é roinnt a bheith aige le póitín. Dá mbeadh sé gan deoir 'ól a choíche, an measann tú go dtiocfadh leis rath nó bláth a bheith air?

(Leagann sí an stocaí ar a glúin.)

Dearc ar chroíthe máithreacha á mbriseadh ag amharc ar a gclann mac ag gabháil chun drabhláis le póitín. Dearc ar pháistí bochta costarnocht i ndúlaíocht an gheimhridh agus an t-airgead ba chóir bróga a chur orthu á chaitheamh i bpóitín. Smaointigh ar na hanamnacha a chuirfeadh an póitín go hIfreann! Arbh fhéidir rath a bheith ar an té a bheadh ina chiontaigh le sin uilig agus le fiche oiread eile? Ó, ní hiontas mallacht a bheith air agus ní hiontas an eaglais a bheith 'nuas air! Ach cá bhfuil mé 'caint! Cá mhéad crá croí d'fhág sé agam féin ariamh agus cá mhéad uair a thug mé mo mhallacht dó.

Go ndéana Sé 'mhaith ar an mhuintir atá marbh, amharc ar Shéamus Mhór. Deoir biotáilte níor bhlas a bhéal gur thoisigh sé ar an obair mhallaithe sin. Go fiú 'n lá a pósadh sinn, ní bhlaisfeadh sé deoir. Ansin thoisigh sé féin agus a dheartháir, Mícheál, ar an stiléireacht agus ba ghearr ina dhiaidh sin gur thoisigh siad ar an ól. Rinne siad neart airgid, ach má rinne, cá bhfuil sé inniu? Cá bhfuil Mícheál agus a sheachtar mac? Fuair Mícheál bás in anás agus is agamsa tá a fhios é. Tá a theaghlach scaipthe ar fud an domhain gan lá dena dtuairisc, agus an coimhthíoch ina seilbh. Cá bhfuil páistí mo chléibh féin? Cá bhfuil na cúig chéad punta 'bhí ag Séamus Mór nuair a stad sé den stiléireacht ar chomhairle an tSagairt Uí Dhomhnaill? D'imigh sé mar imíos an ceo ó na cnoic gan fios cá ndeachaidh sé. Tháinig an tinneas agus an t-anró agus an bás orainn, agus tá a fhios agatsa, 'Pheadair, goidé 'chaithfinnse 'dhéanamh munab ea na comharsanaí, nuair a fágadh an dílleachtaí sin ina pháiste cúig bliana ar mo láimh agus gan bonn pighne idir mé féin agus an chroich.

PEADAR Leoga, fágadh anásta go leor sibh.

MÁIRE Glóir do Dhia is dá Mháthair, tháinig muid as. Ach go mion minic, smaointigh mé gur géarleanúint a chuir Dia orainn ar son an oilc a bhí sa phóitín, agus tháinig sé fríom fiche uair an urnais atá in airde sa scioból a bhriseadh ach nach ligfeadh mo chroí domh scaradh léithe as siocair an fhir ar leis í, lá den tsaol.

MÍCHEÁL ÓG Níorbh iontas ar bith sin.

MÁIRE 'Shéamuis Bhig, a chroí, 'bhfuil tú ag éisteacht liom?

SÉAMUS Tá, 'mháthair mhór.

MÁIRE Cé bith eile 'dhéanfas tú choíche, seachain an póitín. Ná déan é, agus ná hól é, agus ná bíodh baint ná páirt agat leis. Sin comhairle do mháthara móire dhuit, agus creidim gur gairid feasta a bheas sí agat le comhairle 'chur ort.

SÉAMUS Ná habair sin, a mháthair mhór, le cuidiú Dé tá saol fada romhat go fóill. Ach fada gairid é, geallaimse anois duit i bhfianaise a bhfuil i láthair nach mbíonn baint a choíche agam le póitín ar dhóigh na ndóigh.

MÁIRE Seacht n-anam mo leanbh bocht! Ní dheachaidh tú ariamh thar mo chomhairle.

PEADAR Diabhal go bhfuil an ceart agat, a Mháire. Is fearr do gach duine réitithe leis. Chuala mé go raibh daoine á dhéanamh thall agus abhus le tamall agus sin an rud a chuir i mo chionn ar chor ar bith é. Shílfeá go bhfuil turadh beag anois ann. Is cóir domh a ghabháil agus na ba a chur amach.

(Imíonn na comharsanaí.)

[CÚIRTÍN]

Radharc 2

ÁIT: De chois cruach mónadh ar an phortach. (Taispeántar brat a mbeidh pioctúir cruaiche, agus bachta, agus cróigeán mhónadh air).

AM: Tráthnóna, cúpla lá ó bhí an comhrá fán phóitín i dtigh Shéamuis Mhóir.

I LÁTHAIR: Seán Bán ag tógáil mhónadh.

(Tig Eoghan Mór fhad leis agus cliabh folamh leis.)

SEÁN BÁN Shílfeá gur thóg tú deireadh, 'Eoghain?

EOGHAN MÓR Thóg. Tá mé réidh léithe i mbliana, agus ní fearr liom ar bith é.

(Buaileann siad na cléibh ar a mbéal faofa agus suíonn siad orthu. Lasann siad a bpíopaí.)

SEÁN BÁN Creidim gur gairid go raibh tú ag imeacht go hAlbain anois nuair atá an obair déanta agat.

EOGHAN MÓR Bhí rún agam imeacht ar thús na seachtaine s'chugainn, ach tá sé 'teacht fríd mo chionn le cúpla lá gan a ghabháil ar chor ar bith.

SEÁN BÁN Goidé tá ag teacht ort, nó goidé'n diabhal bheifeá 'dhéanamh anseo anois go dtí'n fómhar? Mo chreach nach bhfuil cuid eile againn réidh le himeacht ar thús na seachtaine.

EOGHAN MÓR 'Bhfuil cuimhne agat ar an rud a dúirt Peadar Nóra fán stiléireacht an lá fá dheireadh – go ndéanfadh duine a shaibhreas air in am ghairid?

SEÁN BÁN Dúirt sé sin, ach goidé'n bhaint atá aige sin leis an scéal?

EOGHAN MÓR Nach bhfeiceann tú goidé'n bhaint atá aige leis? Má thig le duine airgead sásta 'dhéanamh ar stiléireacht sa bhaile, goidé'n mhaith dó imeacht go hAlbain á mharú féin ar bheagán páighe agus mórchuid na páighe sin ag éirí do bhean an lóistín?

SEÁN BÁN Tchím anois goidé tá i do chionn. Ach nár chuala tú an méad a dúirt Máire Bhán fá dtaobh de?

EOGHAN MÓR Tá seanscéal agat! Cé bhéarfadh aird ar sheanbhean atá anonn in aois mar tá Máire, agus rámhailligh 'n bháis ag teacht fríd a cionn.

SEÁN BÁN Níl mórán cosúlacht' rámhailligh ar an Mháire chéanna sin. Agus dá mbeadh féin, ar ndóigh, níl an sagart ag rámhailligh. Chuala tú goidé 'dúirt seisean ón altóir tá cúpla Domhnach ó shin.

EOGHAN MÓR Ó! Is cuma leosan ach a sáith a bheith acu féin agus chead an diabhail ag achan duine eile. Goidé deir tú le muid toiseacht air?

SEÁN BÁN Níl a fhios agam, ar dhóigh inteacht, tchíthear domh nach mbeadh sé ceart déanta.

EOGHAN MÓR Is tú'n tseanbhean cheart de dhuine! Goidé bheadh contráilte leis? Ar ndóigh, má ghní duine póitín féin, níl sé ag tabhairt ar a'n duine é 'ól dena ainneoin; agus cá bhfuil an difear a bheadh ann ach oiread le daoine a bhfuil tithe leanna acu? Agus níor chuala mé 'n sagart ag rá go raibh siadsan ag gabháil ar mhullach a gcinn go hIfreann dena thairbhe. Seo, an dtoiseochaimid air?

SEÁN BÁN Shílfeá go bhfuil d'intinn déanta suas agatsa toiseacht air ar scor ar bith.

EOGHAN MÓR Tá; agus tá mé ag dréim leatsa 'ghabháil i gcomhar liom …

(Go drochmheasúil.)

… muna bhfuil barraíocht eagla ort.

SEÁN BÁN *(Go míshásta.)*

Cé 'dúirt go raibh eagla orm?

EOGHAN MÓR Shíl mé go raibh, ón dóigh a raibh tú ag caint.

SEÁN BÁN Níl eagla ar bith orm sa dóigh sin de. Ach goidé'n mhaith a bheith ag caint ar amaidí. Goidé mar rachaimidinne 'dhéanamh póitín? Níl urnais ar bith againn agus dá mbíodh féin, ní bheadh a fhios againn goidé dhéanfaimis léithe.

EOGHAN MÓR Ná bac le sin. Má tá tusa sásta a ghabháil i gcomhar liomsa, gheobhaidh muid urnais, agus ní bheidh muid i bhfad ag foghlaim úsáid a dhéanamh dithe.

SEÁN BÁN Cá bhfuighidh tú í?

EOGHAN MÓR Tá cuid Shéamuis Mhóir Uí Ghallchobhair in airde sa scioból agus í comh maith leis an chéad lá ariamh. Iarrfaimid ar Shéamus Bheag a bheith i gcomhar linn fosta, agus gheobhaimid an urnais uaidh mar sin.

SEÁN BÁN Sin a mbeadh ar a shon agat iarraidh ar Shéamus a ghabháil i gcomhar leat! Nár chuala tú 'n gealltanas a thug sé do Mháire an lá fá dheireadh?

EOGHAN MÓR Goidé eile 'dhéanfadh sé ach an gealltanas a thabhairt dithe lena sásamh. 'Bhfuil tú ag déanamh go mbeadh 'n duine ag dréim leis an gealltanas sin a choinneáil?

SEÁN BÁN Bíodh nó ná bíodh, cuirfidh mise mo rogha geall leat nach dtéid Séamus ar a chúl ina fhocal.

EOGHAN MÓR Iarrfaimid na gléastaí air, mar sin.

SEÁN BÁN Ní bhfuighfeá iad, agus ní thabharfainn de shásamh dó mé a dhiúltú.

EOGHAN MÓR Maise, diabhal gur deacair do shásamh, ach tá dóigh eile air, munar maith leat sin a dhéanamh. Taobh amuigh de cheann na stileadh níl moill ar bith an chuid eile 'fháil. Rinne Páidín, an tincléir, ceann do Shéimí Mháire thuas i mbun an tsléibhe, tá mí ó shin. Tá a fhios agat, bhí Séimí ag déanamh póitín sa tsean-tsaol fosta, agus níl a'n bhoc ann nach bhfuil 'fhios aige. Tá Páidín ag baint faoi i gcró an tsréadaí ag taobh tí Shéimí anois. Rachaidh mé suas amárach, tá mo chuid caorach thuas le lomadh cibé ar bith, agus dhéanfaidh Páidín an ceann agus bhéarfaidh Séimí an t-eolas domh. 'Bhfuil tú sásta anois?

SEÁN BÁN *(Go brónach.)*

Creidim go gcaithfidh mé sin.

EOGHAN MÓR Á! Ba leor duit dá mba do do chur amach chuig

mnaoi a bheifí. Anois buail isteach 'dtigh s'againne san oíche amárach go ndéanaimid comhairle fán chró agus fá rudaí beaga eile mar sin. Caithfidh mé a bheith ar shiúl …

(Cuireann an cliabh ar a ghualainn.)

… nó tá agam le ghabháil 'dtigh an táilliúra fá phéire brístí tá sé 'dhéanamh domh. Slán agat.

(Imíonn Eoghan.)

SEÁN BÁN *(Go híseal.)*

Maise, lá geal 'do dhiaidh.

(Suíonn sé ag amharc i ndiaidh Eoghain agus a lámh faoina leiceann. Labhrann leis féin.)

Níl gar a bheith leat. Tá tú 'mo tharraingt isteach anseo in éadan mo thola agus tá rud inteacht ag inse i mo chroí domh nach dea-rud ar bith a thiocfas as. B'fhearr liom go mór a bheith réitithe leis, ach creidim nach dtig liom a ghabháil ar mo chúl anois ann.

(Cuireann sé a chliabh ar a ghualainn.)

[CÚIRTÍN]

GNÍOMH II
Radharc 1

ÁIT: Cisteanach Shéamuis Mhóir.

AM: Breacadh an lae, cúpla mí níos moille ná am Ghníomh I.

I LÁTHAIR: Máire Bhán ina luí i leabaidh na cisteanadh. An madadh ag tafann go garbh.

MÁIRE ’Shéamuis! Hóigh, ’Shéamuis! ’Shéamuis!

SÉAMUS BEAG *(As an tseomra.)*
Goidé anois, a mháthair mhór?

MÁIRE Éirigh, ’chailleach, agus amharc goidé tá ag an mhadadh amuigh anseo.

SÉAMUS BEAG Beidh mé chugat i mbomaite.

(Tig Séamus amach as an tseomra ina bhríste agus a léine, agus a bhróga air gan cheangal. Fosclann sé an doras agus téidh sé amach. I gcionn tamaill bhig, pill-eann sé ar ais agus é ag strácáil fir ina dhiaidh comh maith agus a thig leis. Tá an fear fliuch salach agus gan bogadh as. Cuireann sé ina luí ’chois na tineadh é.)

MÁIRE Ó faraor géar! Cé t’ann seo agat?

SÉAMUS BEAG Tomás Phadaí agus é marbh ar meisce. Níl ann ach go bhfuil an anáil ann.

MÁIRE An duine bocht gan dóigh! Seo cuid póitín Eoghain Mhóir anois aige. Nár chóir go ndéan-fadh seo a súile do dhaoine. Duine Críostúil ar bith a bheith ina luí suas ar a leithéid de dhóigh agus gan lámh ná cos le bogadh aige. A Nábla

Shéamuis, a thaisce, is mairg duit a chuir do chnámha fríd do chraiceann ag tógáil an bhithiúnaigh seo! Anois tá sé ábalta a bheith ag pléarácáil is ag ól, ag caitheamh airgid a d'fhéadfadh bróga 'chur ar a mháthair bhoicht atá ag gabháil thart costarnocht. Ó faraor géar!

SÉAMUS BEAG Char bhac dó an madadh a mhothachtáil.

MÁIRE Bheadh sé amuigh go maidin munab ea gur mhothaigh.

SÉAMUS BEAG Dia 'bhí linn nach corp marbh a bhí ag an doras againn nuair a foscladh é. Bhí sé ina luí sa tsruthán ar an taoibh thall den bhealach mhór agus an t-uisce 'bhí sé féin a cheapadh ag éirí thuas air. Bhí an t-uisce go díreach ag druidim thart ar a bhéal agus ar a ghaosán nuair a chuaigh mé amach. Cúig bhomaite eile agus bhí sé báite ag giall an dorais againn.

MÁIRE Cumhdach Dé orainn! Cinnte, cuirfidh seo tús agus deireadh le cuid stiléireacht Eoghain Mhóir. Caith mo sheanmhainte aniar ar a ghuailneacha, agus cuach an sac a bhíos le bun an dorais faoina cheann.

(Ghní Séamus mar iarrtar air.)

Sin é! Fág ansin anois é agus beidh sé ceart go leor. Tá tú conáilte 'do sheasamh ansin i do léine. Imigh a luí ar ais agus coinneochaidh mise súil air.

SÉAMUS BEAG Ní fiú domh 'ghabháil a luí anois, a mháthair mhór. Nach sin an lá geal ann? Cuirfidh mé orm mo cheirteach ó tharla go bhfuil mé 'mo shuí.

(Amharcann sé ar Thomás agus labhrann sé go híseal leis féin.)

Is gléasta gleoite an buachaill ag Aifreann Domhnaigh thú agus súil gach cailín óig sa phobal sáite ionat. Dá bhfeiceadh siad anois thú, agus mála saic faoi do leiceann agus seanmhainte dearg mo mháthara móire ar do shlinneáin, agus tú 'srannfaigh mar bheadh muc mhara ann, nach acu 'bheadh an radharc álainn! Ó dá bhfeicfeá féin tú féin, ní bheadh do cheann comh hard agat Dé Domhnaigh s'chugainn agus a bheas sé. Agus, a Eoghain Mhóir, a chneamhaire bhradaigh, nach tú 'thóg an cheird duit féin! Ceird leis an diabhal féin í ag cur an duine, a chruthaigh Dia, i gcosúlacht muice nó madaidh a shlogfadh isteach ina ghoile go dtí nach mbeadh áit aige do thuilleadh, agus a thitfeadh maol marbh ar an talamh le biseach nó bás 'fháil cé b'acu thiocfadh. Agus tusa 'gheobhadh i do chroí locht 'fháil ar na buachaillí tá 'troid ar son a dtíre agus a déarfadh go raibh siad á milleadh. Do leithéid is dóiche a bheith ag caint! Fear atá ag cothú námhad is dochraí don tír ná 'thug Diarmuid Mac Murchadha féin anall, an uair a chuir sé cuireadh ar na Gaill an chéad uair.

[CÚIRTÍN]

Radharc 2

ÁIT: Seomra i dtigh an dochtúra.

AM: An oíche i ndiaidh Tomás Phadaí a fháil ina luí ins an tsruthán.

I LÁTHAIR: An dochtúir agus a bhean. Iad ina suí ag ól tae.

AN BHEAN Bhí lá gnoitheach agat inniu, a chroí.

(Bualann sí clog.)

AN DOCHTÚIR Bhí maise, agus tá súil as Dia agam nach mbíonn a leithéid a choíche ar ais agam.

(Tig cailín aimsire isteach.)

AN BHEAN A Mháire, 'chaile, réitigh an tábla seo anois.

(Éiríonn an dochtúir agus a bhean. Bheir seisean leis a phíopa agus ise a cuid snáth agus suidhidh siad ag an tinidh. Réitíonn an cailín an tábla).

AN BHEAN Ar chuir sibh Mánus na Baintrí chun Tigh Mhóir?

AN DOCHTÚIR Chuir, an créatúr; agus ba sin féin an t-amharc léanmhar. Ba chruaidh an croí nach mbainfeadh an mháthair bhocht deoir as.

AN BHEAN Eibhlín bhocht agus gan aici ach é! Níl a fhios agam goidé 'tháinig air ar chor ar bith. Chonacthas domh ariamh gur stócach stuama céillí 'bhí ann.

AN DOCHTÚIR Agus b'ea. Buachaill deas dóighiúil múinte a bhí ann nach raibh a mhacasamhail i bpobal Ard a' Ghliogair nó b'fhéidir mórán fear sa chondae ní ba bhreátha ná é. Ach dá bhfeicfeá inniu é! É ceangailte le rópaí, cúr lena bhéal, agus a dhá shúil ag gabháil amach ar a chloiginn! Is iomaí fear a chonaic mé as a mheabhair, ach ní fhaca mé 'n duine as a chrann cumhacha i gceart go dtí eisean. Ainneoin a lámha agus a chosa a bheith ceangailte den charr, bhí eagla mo bháis orm roimhe; agus ní fhágfaidh an stánadh fiánta a bhí ina shúile m'amharc go lá mo bháis. Agus a mháthair bhocht! Má briseadh croí mná ariamh, tá croí na mná boichte údaí á bhriseadh le buaireamh agus le náire. Nuair a labhair sí leis, 'sé'n rud a thug sé iarraidh a chár a chur inti.

AN BHEAN Ó, is mairg a tchífeadh é!

AN DOCHTÚIR Maise, níorbh fhearr duit a fheiceáil, agus tá súil agam nach bhfeicimse a leithéid a choíche ar ais.

AN BHEAN Níl a fhios agam goidé 'tháinig air ar chor ar bith.

AN DOCHTÚIR Níl lá seachráin ar a'n duine fá sin. Póitín an diabhal seo is ciontaí uilig leis! Is cosúil go ndearn Eoghan Mór agus Seán Bán téamh agus gur chruinnigh siad na comharsanaí aréir lena sáith de a thabhairt daofa le hól. Fuair siad uilig barraíocht, agus fuair Mánus trí bharraíocht, agus tá'n duine bocht ag íoc ar a shon sin inniu.

AN BHEAN Go ndearca Dia air féin agus ar a mháthair bhoicht. Is daor a cheannaigh siadsan cuid póitín Eoghain Mhóir. An cneamhaire, cad chuige nach bhfuil sé thall in Albain, an áit ar cheart dó a bheith, agus gan a bheith ag cur daoine bochta gan dóigh mar seo.

AN DOCHTÚIR Maise is beag sin dá bhfuil déanta aige. I dtigh Shíle Ruaidh 'bhí an t-ólachán acu, agus bhí a gciall caillte acu féin agus ag Síle comh mór agus go dtug siad lán a ghoile den nimh seo do thachrán sé bliana Shíle. Níor inis Síle sin domhsa nuair a scairt sí isteach orm agus mé ag gabháil an bealach ar maidin. Bhuail an tinneas ina chodladh é, agus ní raibh a fhios aici goidé 'bhí air, má b'fhíor di. Ach d'inis Séamus Beag Ó Gallchobhair domh fán ólachán 'bhí ar cois an oíche roimhe sin, agus bhí mo bharúil féin agam fán pháiste. Nuair a dúirt mé léithe é, d'admhaigh sí go bhfuair sé cupa póitín, ach gur shíl sí nach ndéanfadh sin a dhath air. Tá'n leanbh bocht ina luí ansiúd inniu agus an anáil ann, agus níl ann ach sin. Níl mé ag dréim leis a bheith beo go maidin.

AN BHEAN Murdar dearg! Bás linbh tugtha le póitín! Tchí an Rí seo! Ar chuala 'n duine ariamh a leithéid! 'Bhfuil coinsias nó anam ar bith sna daoine seo, nó goidé mar rachas siad i láthair Dé choíche. Ó mo bhrón, an saol atá ann!

AN DOCHTÚIR Níl a fhios agam, ach bhí oíche bhocht aréir acu. B'éigean domh cúig ghreim a chur i dtaoibh an leicinn i bPadaí Anna. Pholl Tomás Bacach le scian é. Tá cúpla easna briste i Seán Aodha agus cluinim go bhfuil duine nó beirt eile gortaithe go maith fosta. B'éigean Caitríona bheag a thabhairt 'na bhaile ar chomhlaidh agus chuaigh Tomás Phadaí fá haon do bheith báite sa tsruthán ag teach Shéamuis Mhóir. Agus an chuid is iontaí uilig de, níl ach moladh agus dea-fhocal ag gach duine d'Eoghan Mhór, an té tá 'na chiontaigh leis an iomlán.

AN BHEAN Goidé tá ag teacht ar na daoine ar chor ar bith?

AN DOCHTÚIR Tá: tá barraíocht dúil ina ngoile ag a lán acu; agus níor chás ariamh é gur toisíodh ar an phóitín. Cluinfidh tú drochrud sula raibh a dheireadh thart.

AN BHEAN 'Bhfad uainn gach olc!

(Ag dearcadh ar an chlog.)

Sin a haon déag a chlog é. Caithfidh tú a bheith marbh tuirseach agus tá'n t-am agat a bheith 'do luí.

(Éiríonn an bheirt.)

[CÚIRTÍN]

GNÍOMH III
Radharc 1

ÁIT: Teach scoile Mhín na bPoll.

AM: San earrach, bliain ó cuireadh Mánus na Baintrí chun an Tigh Mhóir.

I LÁTHAIR: An Máistir agus na páistí.

(Tá ceacht ar siúl fá Aodh Rua. Thig an Sagart 'ac Aodha isteach, agus éiríonn na páistí ina seasamh.)

AN SAGART *(Ag baint de a hata.)*

Dia anseo.

AN MÁISTIR *(Ag croitheadh láimhe leis.)*

Dia is Muire dhíbh, a Shagairt.

AN SAGART Suígí, a pháistí.

(Bheir an Máistir cathaoir don tSagart agus labhrann siad os íseal ar feadh bomaite.)

AN MÁISTIR Taradh na gasúraí seo thart fán tábla anseo – Padaí 'ac Ruairí, Domhnall Ó Gallchobhair, Séamus 'ac a' Bhaird, Éamonn Sáighis agus Seán Ó Canann.

(Tig cúig ghasúr amach as na suíocháin agus seasann siad fán tábla. Tá cuma chiontach ar an iomlán agus a gcinn cromtha.)

AN SAGART Seasaigí suas díreach. Coinnigh suas an ceann sin ort, a Mhic a' Bhaird agus ná seas ansin agus cuma crochadóra ort. Anois, a Sheáin Uí Chanainn, inis domhsa goidé a tharla nuair a bhí sibh ag gabháil 'na bhaile ón scoil Dé Máirt s'chuaigh thart.

SEÁN BÁN *(Agus pus air.)*

Chuir siad mise 'dtigh Eoghain Mhóir fá choinne buidéal póitín.

AN SAGART *(Go cineálta.)*

Cé 'chuir, a thaisce?

SEÁN BÁN *(Ag glanadh na suóg.)*

Séamus agus Domhnall Bán ansin. Chuir siad buidéal liom agus d'iarr siad orm a rá le hEoghan Mór go raibh fir ag mo mháthair ag bualadh cruaiche agus gur fána gcoinne 'bhí an póitín.

AN SAGART Agus ar chuir siad a luach leat?

SEÁN BÁN Chuir siad dhá scilling liom.

AN SAGART Cé 'thug an t-airgead duit?

SEÁN BÁN Chuir siad uilig rud ann. D'iarr Séamus ar gach fear Dé Luain, cúpla pighinn 'fháil ar dhóigh inteacht roimh lá arna mhárach agus go gceannóchaimis póitín.

AN SAGART 'Bhfuil tú 'rá gur shocair sibh Dé Luain póitín a cheannacht lá arna mhárach?

SEÁN BÁN Shocair. Dúirt Séamus go raibh Eoghan Mór ag déanamh téamh agus go mbeadh an póitín réidh nuair a bheimis ag gabháil 'na bhaile Dé Máirt. Ansin dúirt sé gur dheas an rud cuid de

’fháil agus muid uilig a ghabháil ar meisce.

AN SAGART Faraor géar! Inis leat, a thaisce.

SEÁN BÁN Ní raibh airgead ar bith liomsa agus bhí Domhnall Bán ag gabháil a mo bhualadh ach ní ligfeadh Padaí Shéamuis dó.

AN SAGART Agus bhí airgead leis an mhuintir eile uilig?

SEÁN BÁN Bhí. Bhí scilling ag Séamus, pighinn ag Domhnall Bán, seacht bpighne ag Padaí, agus toistiún ag Éamonn.

AN SAGART *(Go feargach le Séamus.)*

Cá bhfuair tú an scilling a bhí agat?

SÉAMUS *(Go heaglach.)*

Thug mé liom as póca mo mháthara í.

AN SAGART Tchím. Ghoid tú í!

(Le Padaí.)

Cá bhfuair tusa an t-airgead a bhí agat?

PADAÍ Thug m’athair toistiún domh an oíche ’tháinig sé as Albain agus bhí na trí pighne eile agam ó bhí lucht na coláiste anseo sa tsamhradh.

AN SAGART *(Go drochmheasúil le Domhnall Bán.)*

Agus tusa fear na pighne a bhí ag gabháil a bhualadh an ghasúir bhig nach raibh ’n leathphighinn aige! Cá bhfuair tú an saibhreas seo a bhí agat féin?

DOMHNALL BÁN *(Idir a fhiacla.)*

Eoghan Mór a thug domh í as leathdhuisín buidéal a chruinniú dó.

AN SAGART *(Le hÉamonn.)*

Cá bhfuair tú an toistiún a bhí agat?

ÉAMONN Dúirt mé le mo mháthair go raibh toistiún a dhíobháil orm le leabhar 'fháil ar an scoil agus thug sí domh é.

AN SAGART Is luath 'tá tú 'foghlaim do cheirde! Anois, a Sheáin, goidé 'rinne sibh nuair a phill tú leis an bhuidéal nimhe seo?

SEÁN BÁN Dúirt Séamus gurb eisean ba mhó a chuir ann, agus d'ól sé braon mór de. D'ól an mhuintir eile braon thart, agus thug siad an deoir bheag a bhí fágtha domhsa.

AN SAGART Agus goidé ansin?

SEÁN BÁN Ní raibh Séamus ábalta siúl agus luigh sé ansin go dtáinig carr an aráin go ndeachaidh sé 'na bhaile air.

AN SAGART *(Ag éirí agus ag labhairt leis na scoláirí uilig.)*

Go ndearca Dia orainn inniu! Anois a pháistí, tchí sibh goidé a ghníos an póitín. Ní hé amháin go ndéanann sé daoine cosúil leis an bheithíoch bhrúidiúil, ach bheir sé orthu na pighneacha a bhí taiscithe acu a chaitheamh; bheir sé orthu bréaga a inse le luach póitín 'fháil; bheir sé orthu airgead a ghoid; bheir, agus bheir sé orthu 'ghabháil a chruinniú buidéal ar nós na mbacach, le airgead 'fháil a chuideochas iad a dhíol leis an diabhal. Agus an mhuintir atá ag déanamh agus ag díol an phóitín mhallaithe seo, a pháistí — dearcaigí ar an tsaibhreas atá siad a chruinniú

– taisce an duine bhoicht! Airgead goidte! Luach buidéal, agus airgead a mhealltar le bréaga. Ní bheidh buanfas sa tsoláthar seo nó rath ar an té tá á chruinniú. Goidé mar bheadh agus an méad peacadh a bhfuil siad ina gciontaigh leo agus an méad anamnach atá siad a chur i gcontúirt Ifrinn. Tá daoine santacha sa phobal seo atá ag díol anamnach leis an diabhal mar mhaithe le cúpla punta suarach; ach gearraigí marc ar an rud atá mise ag gabháil a rá libh anois. Tiocfaidh mallacht Dé orthu, agus tiocfaidh an lá – seascair, te is mar tá siad inniu – a mbeidh siad ar bheagán saibhris – agus b'fhéidir an lá sin níos deise daofa ná shíleann siad féin. I dtaoibh na ngasúr seo, rinne siad rud milltineach! Tá a náire féin, náire a muintire, náire na scoile agus náire 'n phobail tugtha acu! Agus an té ba mhó agus ar cheart dó athrach de chéill a bheith aige, b'é ba mheasa. Caithfidh seisean an bata a fháil agus a fháil go maith. Ligfidh mé an iarraidh seo leis an mhuintir eile, ach má chluinim iomrá ar a leithéid choíche ar ais, fágfaidh mise colmnacha ar dhaoine a bheas leo 'na cille. Ná bíodh seachrán ar aon duine fá sin. Anois, a Shéamuis Mhic a' Bhaird, seas thusa ansin, agus téamh an chuid eile chun a n-áiteach.

[CÚIRTÍN]

Radharc 2

ÁIT: An bealach mór.

AM: Cúpla seachtain ón lá a labhair an sagart le gasúraí na scoile fán phóitín.

I LÁTHAIR: Séamus Nóra (deartháir Pheadair) agus Padaí Rua á gcastáil do chéile.

PADAÍ RUA Sé do bheatha, 'Shéamuis. Is annamh tchímid thusa an bealach seo anois.

SÉAMUS NÓRA Go raibh maith agat, a Phadaí. Ní bhím an fad seo rómhinic ar bith. Níl mé comh gasta agus 'bhí uair den tsaol, agus ní thigim ach nuair a chaithim a theacht.

PADAÍ RUA Nach taismeach a d'éirigh do stócach Pheadair! Go ndéana Sé 'mhaith ar an duine bhocht.

SÉAMUS NÓRA Rud tobann a b'éigean a theacht air? Níor chuala mé dadaidh go bhfuair mé scéala a bháis tá cúpla uair ó shin. An posta 'scairt isteach ar an doras go raibh sé marbh.

PADAÍ RUA Bhí sé róthobann, dó féin a hinsítear é! D'fhág sé an baile inné ag gabháil ó sholas dó le 'ghabháil a dh'amharc ar bhuachaill as Cúl a' Chnoic a bhí ag imeacht go Meiriceá. D'fhág sé Cúl a' Chnoic nuair a bhí sé ag druidim anonn leis an mheán oíche agus thug sé aghaidh ar an bhaile. Ní raibh cuma báis nó breoiteacht' san am sin air agus sin an tuairisc dheireanach atá le fáil beo air. Fuair fear as Cúl a' Chnoic ina luí marbh ar thaobh an bhealaigh mhóir le bánú 'n lae ar maidin é, agus gan loit ná gearradh air ach é sínte ansin de chois an chlaí.

SÉAMUS NÓRA *(Ag cuimilt na súl go brónach.)*

Ó mo thruaighe, m'Art bocht.

(Osna mhór.)

PADAÍ RUA Creidim gurb é an croí a thug suas air, nó níor chuala mé lá tinnis ariamh air.

SÉAMUS NÓRA Mo leanbh bocht, nach cuma dó anois! Níor dhadaidh bás ar a leabaidh agus a mhuintir aige le sólás a thabhairt dó le taoibh bás 'fháil amuigh in uaigneas na hoíche gan sagart ná bráthair le paidir a rá ina chluais nó duine le hallas an bháis a chuimilt dá éadan. Óch! Óch!

PADAÍ RUA Tá súil agam go bhfuil a anam ag Dia sna flaithis. Buachaill cneasta múinte gan choir a bhí ann. Ach is mór an truaighe a athair agus a mháthair bhocht. Ghoill sé go mór orthu. Ní nach ionadh; agus leoga féin ní chuirfidh sé fad ar bith ar a saol.

SÉAMUS NÓRA Ó dhéanfaidh achan duine gnoithe ach an té a d'imigh.

(Tig Mícheál Óg isteach.)

MÍCHEÁL ÓG Maise, 'Shéamuis, sé do bheatha agus goidé'n dóigh atá ort? Mhaige, rath ort, tá tú a sheasamh amach go maith.

SÉAMUS NÓRA Míle altú do Dhia, níl anás ar bith orm.

MÍCHEÁL Nach tobann an scéala 'fuair Peadar bocht ar maidin?

SÉAMUS NÓRA Sin go díreach an rud a raibh muid ag caint air!

MÍCHEÁL ÓG Ní bhíonn a fhios ag duine ag éirí dó cá háit a luífidh sé nó cá deas dó fód a bháis.

SÉAMUS NÓRA Is fíor duit, is fíor duit. Is mithid domh bogadh liom. Is beag a shíl mé go dtiocfadh ormsa faire Airt a dhéanamh. Slán agaibh.

MÍCHEÁL ÓG
PADAÍ RUA Choimrí 'n Rí thú.

(Imíonn Séamus.)

PADAÍ RUA 'Raibh 'dhath úr ag an ghoiste?

MÍCHEÁL ÓG Ní raibh a dhath acu ach an méid atá ag gabháil ó mhaidin. Ach nár aifrí Dia orm é, sé'n bharúil atá agamsa go bhfuil a fhios ag duine inteacht níos mó fá bhás Airt ná tá sé a ligean air féin. Cuirfidh mé geall go raibh rud inteacht ag an phóitín le déanamh leis.

PADAÍ RUA Sin go díreach an rud a bhí ar m'intinn féin ach nach dtig le duine 'dhath a rá. Tá a mhuintir dona go leor agus gan é 'ghabháil amach air gur meisce phóitín a thug a bhás.

MÍCHEÁL ÓG Tá, agus a ábhar acu. Dúirt an sagart le mo bhéal féin nach stadfaí den phóitín go mbeifí mall. Tabhair aire, nó tá'n dochar déanta.

PADAÍ RUA Tá dochar go leor déanta aige mara mbeadh ann ach an méad póiteoirí óga atá déanta aige. Ní bheadh a leath ag ól munab ea é.

MÍCHEÁL ÓG Tá sé fíor. Tá gasúraí ar obair air anois sula bhfága siad an scoil. Is maith mar dhéanfas siad nuair a thiocfas iontu.

PADAÍ RUA Ó, leoga níl iontas drochrath a bheith ag teacht ar an tír; agus tá eagla orm nach ag bisiú atá sí.

MÍCHEÁL ÓG Níl mórán cosúlacht bisigh uirthi. Creidim gurb é seo an caoineadh atáthar a chluinstin fá Thaobh an Chnoic le tamall.

PADAÍ RUA Is dóiche gurb é. Níor imigh an caoineadh ariamh gan a chuid a bheith leis; agus tá sin leis an iarraidh seo.

MÍCHEÁL ÓG Art bocht!

PADAÍ RUA Nach é 'ghéaraigh le tamall. Bainfimid an baile amach.

(Bogann siad leo.)

[CÚIRTÍN]

GNÍOMH IV
Radharc 1

ÁIT: Cisteanach i dtigh an tSagairt Mhic Aodha.

AM: Tráthnóna, bliain ó fuair Art Pheadair bás.

I LÁTHAIR: An Sagart 'ac Aodha agus Nóra, an cailín aimsire.

(Tá an sagart ag léadh a phortúis, agus an cailín ag obair fríd an teach. Cuireann Eoghan Mór, agus é scifleogach stróctha, cuireann sé a cheann isteach ar an doras.)

EOGHAN MÓR 'Gheall ar Dhia, 'Shagairt, tabhair domh cúpla pighinn a gheobhas greim le hithe domh.

AN SAGART Sea, cúpla pighinn a d'ólfá mar 'rinne tú roimhe.

EOGHAN MÓR Ní hea, a Shagairt. Ní bheadh aird agam ar ólachán anois, dá mbeadh greim le hithe agam. Níor bhlas mé greim ó mhaidin inné.

AN SAGART *(Labhrann sé go híseal le Nóra agus toisíonn sise a dhéanamh réidh tae.)*

An lá deireanach a thug mé scilling duit nach ndeachaidh tú caol díreach 'na bhaile mhóir gur ól tú í!

EOGHAN MÓR Bhí 'n slaghdán orm, a Shagairt, agus bhí leath-cheann a dhíobháil orm.

AN SAGART Is maith an leithscéal an slaghdán.

EOGHAN MÓR Ná bí róchruaidh orm. Níl a fhios ach ag Dia féin an méid atá mise 'fhuilstin. Tá a fhios agam gur mé féin is ciontaí, agus tá mé buartha anois nár ghlac mé bhur gcomhairle in am agus stad den stiléireacht. Inseochaidh mé a dtáinig mé fríd agus tchífidh sibh gur leag Dia A lámh go trom orm.

(Cuireann Nóra tae ar an tábla agus théid sí amach.)

AN SAGART Suigh isteach, agus ól braon tae 'chéaduair.

(Suíonn Eoghan ag an tábla agus toisíonn sé a ithe. Suíonn an Sagart ag an tinidh agus a chúl leis. Nuair atá deireadh ite ag Eoghan, bogann sé an chathaoir. Amharcann an Sagart thart agus tugann sé thart a chathaoir féin.)

AN SAGART Tá tú níos fearr anois?

EOGHAN MÓR Tá, go raibh maith agaibh agus go mbuanaí Dia mur sáith den bhia agaibh. Agus anois inseochaidh mé dhíbh goidé mar fágadh mé gan áit gan ionad ach mé mar 'tchí tú mé, 'mo bhacach i muinín na déirce agus b'fhéidir go sábhálfadh mo scéal duine bocht inteacht eile ar a aimhleas.

AN SAGART Maith go leor, a mhic! Inis leat.

EOGHAN MÓR Trí bliana go samhradh s'chuaigh thart, a tháinig an mí-ádh ó thús orm. Creidim gurb é an mac mallachtan a chuir i mo chionn san am sin toiseacht ar an stiléireacht. Saint airgid a bhí orm, agus shíl mé go ndéanfainn mo shaibhreas air in am ghairid. Rinne mé féin agus Seán Bán airgead go leor ar feadh tamaill, agus d'éirigh gach rud go breá linn. Ní raibh aird againn ar an chomhairle 'chuir sibh féin agus fiche duine eile orainn. Ní raibh dadaidh le feiceáil againne ach an t-airgead ag teacht isteach i mullach a chéile, agus cheap muid nach comhairle ár leasa 'bheadh duine 'chur orainn a d'iarrfadh orainn ár ngléas beatha a thabhairt suas. Ach ní thugann gach rud ach a sheal, sroicheadh marc an láin agus thiontaigh 'n sruth. Agus anois, a Shagairt, cluinfidh sibh rud nach bhfuil a fhios ag duine beo inniu ach agamsa.

(Go mall brónach.)

Tháinig Art Pheadair Nóra 'dtigh s'againne oíche agus d'ól sé agus d'ól sé go bhfaca muid go raibh sé ag gabháil 'fháil bháis le raibh ólta aige – 'gabháil 'fháil bháis istigh i lár an tí againn. Thug mé liom é, a Shagairt, ar mo dhroim agus Seán Bán ag cuidiú liom, go raibh muid thall ag Taobh an Chnoic. Leag muid amach, dá dtigeadh sé chuige féin, go mbeadh maith go leor, agus, dá bhfuigheadh sé bás, nach samhlóchaí gur againne 'bhí sé. Nuair a d'fhág mé síos an t-ualach ag Taobh an Chnoic bhí Art marbh. D'fhág muid ansin é ar thaobh an bhealaigh mhóir agus bhain muid na bonnaí as gan paidir ná cré a chur leis an anam a chuidigh muid a chur 'na Síoraíochta. Bhí sé milltineach! Bhí sé mí-Chríostúil! Agus níl aon uair a smaointím air nach dtig an t-allas fuar liom.

(Cuimlíonn sé a éadan.)

Ó sin amach chuaigh gach rud bun os cionn. Ghlac Seán bás Airt go holc. Ní raibh 'dhath as a bhéal ach gur mhillteanach an bás bás le biotáilte, agus gur sinne ba chiontaí lena anam a chur i láthair Dé sa staid ina raibh sé. Luigh Seán leis an ól, agus thoisigh mise fosta air. Tá a fhios agaibh féin deireadh Sheáin.

AN SAGART Go sábhála Dia gach créatúr ar a leithéid de bhás!

EOGHAN MÓR Amen... Ón lá 'fuair mé Seán crochta i gcró na stileadh, níor lig an eagla domh 'ghabháil ann ní ba mhó. D'fhiach mé le tarraingt suas ansin agus saol ionraice 'chaitheamh, ach sháraigh orm. Ní raibh suaimhneas intinne agam i mo chéill agus ní mó ná sin a bhí agam i mo mheisce, ach mar sin féin, ní raibh mé sásta gan a bheith ar maos ins an bhiotáilte. D'imigh an t-airgead mar 'tháinig sé, agus sular mhothaigh mé, bhí mé go dtí'n dá chluais i bhfiacha. B'éigean an teach agus an talamh a dhíol, bhí mé thar obair agus ní raibh fágtha ach an mála. Agus a Athair mhilis, 'sé'n mála an deireadh. Smaointigh air. Mise 'cruinniú mo chodach ó theach go teach! Mise a bhí comh te seascair le aon duine acu féin tá trí bliana ó shin! Anois bíonn siad ag folach orm agus ag doicheall romham. Ní abrann siad a dhath os mo choinne féin, ach cluinim corruair, agus mé ag fágáil an dorais, an drochbharúil atá ag daoine asam. Bíonn faitíos orm roimhe dhaoine anois agus is minic a chodlaím i gcúl na gclaíocha agus a bhím cúpla lá gan bia le cotadh déirce nó lóistín a dh'iarraidh.

Agus ní dadaidh an t-anró agus an t-ocras

le taoibh an mhíshásamh intinne. Féadaidh Ifreann a bheith olc, ach níl pian in Ifreann níos measa ná an phian atá mise 'fhuilstin i m'intinn ó mhaidin go hoíche agus ó oíche go maidin. Tá smaointí ina reath fríd m'intinn mar shlua diabhal ag daoradh m'anama sula bhfága sé an saol seo ar chor ar bith. Mánus na Baintrí as a mheabhair! Lámh ina bhás féin ag Seán Bán! Art Pheadair Nóra agus páiste Shíle Ruaidh agus a mbás tugtha le póitín! Páistí 'n phobail ag ól agus Eoghan Mór ina chiontaigh uilig leis! Máithreacha 'mallachtaigh orm, aithreacha ag féachaint go dúranta orm agus páistí 'teitheadh romham! Diabhal as Ifreann a chuaigh ar seachrán ar an tsaol seo mé!

AN SAGART Foighid, a mhic, foighid!

EOGHAN MÓR Éist, a Shagairt, éist a dhuine! Nach mothaím meáchan Airt ar mo dhroim? Nach bhfeicim Seán Bán crochta os coinne mo dhá shúl? Nach sin súile fiánta Mhánuis na Baintrí ag stánadh orm? Nach gcluin tú an t-aos óg a dhíol mé leis an diabhal le mo chuid póitín agus a máith-reacha ag mallachtaigh orm! Ó nach mairg gan uchtach agam déanamh mar 'rinne Seán Bán agus deireadh 'chur leis!

AN SAGART Ná labhair mar sin, a mhic! An diabhal atá ag cur na ndrochsmaointí sin i do chionn. Ná géill dó ach guigh Dia le thú 'chur ar staid na ngrásta. Iarr ar Mhuire, A Mháthair, idirghuí 'dhéanamh ar do shon. Cuimhnigh, má leag Dia lámh go trom féin ort, cuimhnigh go bhfuil Sé trócaireach agus go bhfuil Sé ag tabhairt uaine duit anois le aithreachas a dhéanamh. Níl ár seal ar an tsaol seo ach gairid, agus má bhíonn sé cruaidh féin bhéarfaidh 'n bás faoiseamh ann. Ach smaointigh ar an tsíoraíocht agus gan ach glóir nó pian i ndán dúinn lena linn.

EOGHAN MÓR 'Bhfuil sibh 'déanamh go dtiocfadh le Dia maithiúnas a thabhairt domhsa?

AN SAGART Nach cinnte go dtig agus go dtabharfaidh, má iarrann tú é. Nach fá choinne sin a fuair an Slánaitheoir bás ar an Chroich. Guigh Dia agus A Mháthair go maith agus ní heagal duit. Sin leathchoróin agat, agus is fearr duit lóistín na hoíche 'chuartú sula n-éirí sé níos moille. Am ar bith a mbeidh anás bídh ort, buail thart chuig Nóra anseo agus gheobhaidh tú greim le hithe.

EOGHAN MÓR *(Agus na deora leis.)*

Go raibh maith agaibh, a Shagairt. 'Sibh ariamh a bhí déirceach don bhochtán agus foighdeach leis an pheacach. Go dtuga Dia a luach de ghlóir na bhflaithiúnas díbh!

(Tógann Eoghan a mhála agus é ag imeacht.)

[CÚIRTÍN]

Radharc 2

ÁIT: An bealach mór.

AM: Seachtain i ndiaidh Eoghan Mór a bheith i dtigh an tsagairt.

I LÁTHAIR: Tig Eoghan Mór agus cuma lag air.

EOGHAN MÓR Tá eagla orm go bhfuil mé ag deireadh mo rása. Níl mé ábalta siúl níos faide. Caithfidh mé suí agus mo scíste a dhéanamh.

(Caitheann sé an mála ar an talamh agus suíonn síos.)

Dá mbeinn ábalta teach an tSagairt nó teach Shéamuis Mhóir a bhaint amach féin, gheobhainn greim le hithe. Inniu an Luan agus tá mé 'mo throscadh agus 'mo luí amuigh ó bhí an Aoine ann. A Mháire Shéamuis Mhóir, nach mairg nár ghlac mé do chomhairle agus coinneáil fad mo sciatháin ó phóitín. Dá nglacainn, ní 'mo shuí anseo lag leis an ocras a bheinn anois. A mháthair, má tchí tú do mhac bocht, nach bhfuil truaighe agat dó? Tá mé ag éirí lag agus nach é a d'éirigh dorcha. Goidé 'leithéid de thart! Tá'n bás agam, tá mé ag fáil bháis! Tugtar chugam an Sagart! An Sagart, an Sagart! Deoch uisce! Deoch! Deoch!

(Síneann sé é féin agus toisíonn sé a rámhailligh.)

Hóigh 'Sheáin! Hóigh 'Shéamuis! Folachán na gcruach. Tá tú dóite, tá tú dóite! … 'Athair, tá ocras orm … Mháthair, tabhair domh giota aráin … Tá an Máistir ag an Teagasc Críostaí … Fonn ainmheasartha ar mhaoin shaolta ... Ólachán lena gcailleann duine aon chuid dá chéill nó dá chéadfa ... 'Mhánuis, ná hamharc mar sin orm! Stad, a Sheáin, stad! Tá tú 'mo thachtadh ... Ná teann an rópa ar mo mhuineál ... Á! Ná cuir do mhallacht orm, a Pheadair ... Goidé tá tusa a iarraidh, a Airt? ... Ní rachaidh mé leat! Ní rachaidh! Ní rachaidh! Ó, tá mé tachta. Deoch! Deoch! Deoch!

(Faigheann sé bás.)

(Tamall beag ina dhiaidh seo. Tig Séamus Beag thart agus spád ar a ghualainn. Tchí sé Eoghan ina luí. Cromann sé agus croitheann sé é. Níl bogadh as. Baintear léim as Séamus.)

SÉAMUS Cumhdach Dé orainn, tá sé marbh!

(Baineann de a bhearád agus coisreacann é féin.)

A Eoghain Mhóir, an té d'inseochadh duit tá trí bliana ó shin go bhfuighfeá bás ar thaoibh an bhealaigh mhóir, bheirfeá bréagach dó. Ba deas do mhargadh gan iomrá 'chluinstin ar phóitín ariamh.

(Go mall stuama.)

Tá mallacht Dé ar an phóitín, agus fada gairid an t-am é, comh cinnte agus éireochas grian amárach, titfidh mallacht Dé ar lucht na stiléireachta!

[CÚIRTÍN]

(CRÍOCH)

GLUAIS

Tá mórchuid na leaganacha focal atá san eagrán seo de *Cáitheadh na dTonn* le fáil i bhFoclóir Gaeilge-Béarla Uí Dhónaill mar cheannfhocal nó mar leagan malartach. Tugtar anseo thíos liosta de chuid de na leaganacha malartacha sin. Tugtar míniú chomh maith ar chorrfhocal neamhchoitianta agus corrfhocal a bhfuil saintréithe ag baint leo.

A

Abha = abhainn
Abrann = deir
Achan = gach aon
Agallaidh = galamaisíocht
Agradh = agairt
Aile = fóide tógtha suas ar thaobh clampa mónadh
Áilneacht = áilleacht
Áin = áil
Airneál = airneán
Áiteacha = áiteanna
Amhthroid = geamhthroid
Aoibhneach = aoibhinn
Ariamh = riamh
Aríst = arís
Astar = aistear
Athair (*gin.* athara = athar)
Athchróigeadh = athghróigeadh

B

Babhal = babhla
Bagar (*fir.*) = bagairt (*bain.*)
Báigh = bá (*gin.* na báighe = na bá)
Báillí = báille
Baláiste = ballasta
Bascáid (*bain.*) = bascaed (*fir.*) (*gin.* bascáide = bascaeid)
Batalaigh = batalach
Báitheadh, báthadh = bádh, bá
Bean (*tabh. uatha* mnaoi)
Bearád = bairéad
Béicigh = béiceach
Beireadh = rugadh
Bia (*gin.* bídh = bia)
Bíos = bhíos (*coibh.*)
Biotáilte = biotáille
Bléascadh = pléascadh
Bliota = briota
Bogadaigh = bogadach
Bomaite = nóiméad
Bothóg (*tabh.* an bhothóig)
Breoiteán = breoiteachán
Bruach (*tabh. iol.* na bruaich)
Buaidh (*bain.*) = bua

C

Capall (*iol.* caiple = capaill)
Carr (*gin.* an charra)
Carróir = carraeir
Céasla (*tabh.* céaslaidh)
Céidh = cé
Ceistníodh = ceistíodh
Cisteanach = cistin (*gin.* cisteanadh = cistine; *tabh.* cisteanaigh = cistin)
Cith (*iol.* ceathaideacha = ceathanna)
Clismearnaigh = clismearnach
Cliú = clú
Cneadh = cneá (cneadhacha = cneácha)
Cneamhaire = cneámhaire
Coimheád = coimhéad
Coiscéimeacha = coiscéimeanna
Coisreac = coisric (*aid. bhr.* coisreactha = coisricthe)

Colmnacha = coilm
Comh = chomh
Comhla (*tabh.* comhlaidh)
Comhrá (*gin.* comhráidh)
Comóraigh = comóir
Cónair = cónra
Condae = contae
Conlach = coinleach
Coradh (*iol.* coraíocha = corthaí)
Créafóg (*tabh.* an chréafóig)
Crothnaigh = cronaigh
Cruaidh = crua (*breischéim* cruaidhe = crua)
Cuartaigh = cuardaigh
Cuid (*gin.* codach)
Cúlfáith = cál faiche
Cúlta = cúthail
Cumhaidh = cumha (*gin.* cumhaidhe)
Cumhaidhiúil = cumhach
Cúnglach = cúngach
Curach *fir.* (*gin.* an churaigh = na curaí)
Cúthalta = cúthail

D

Dálta = dála
Daofa = dóibh
Daoithe = di (*ón réamhfhocal* do)
Dealbhtha = dealfa
Deifre = deifir
Dhéanfaidh = déanfaidh
Dinnéar (*gin.* dinnéara)
Díocrach = díochra
Díofa = díobh
Dithe = di (*ón réamhfhocal* de)
Dóiche = dócha
Domh = dom
Dorg(a) = dorú
Dóthan = dóthain
Dúblaithe = dúbailte
Duisín = dosaen
Dúradar (*foirm tháite*) = dúirt siad

E

Eadradh = eadra (*gin.* eadartha = eadra)
Éascaidh = éasca
Éideadh = éide

F

Fá = faoi
Fá deara = faoi deara
Faigh (bhfuigheadh, bhfuighidh, bhfuighfeá, bhfaghann = bhfaigheadh, bhfaighidh, bhfaighfeá, bhfaigheann)
Fairsingeacht = fairsinge
Faoileog = faoileán
Faoiside = faoistin
Feadalaigh = feadaíl
Feadhnóg = feadhnach
Feagh = feag
Feamnach = feamainn (*gin.* feamnaí; *tabh.* feamnaigh)
Fian = fiann
Fidileoir = fidléir
Fíochmharach = fíochmhar (*gin. uatha bain.* fíochmharaí = fíochmhaire)
Focla = focail
Fód (*iol.* fóide = fóid)
Foighdeach = foighneach
Foighid = foighne
Freagar = freagairt
Fríom = tríom
Friothálamh = friotháil
Fríthe = tríthi
Fuascladh = fuascailt
Fuilstean = fulaing
Furast = furasta

G

Gábhadh = gábh (contúirt)
Gasúr (*gin.* gasúra = gasúir)
Gath = ga (*gin.* gatha = ga)
Ghní, ghníos = déanann
Ghníthear, ghníthí, gnítheá, ghníodh siad = déantar, dhéantaí, dhéantá, dhéanaidís
Giallfach = geolbhach (*iol.* giallfaigh = geolbhaigh)
Giollachtaithe = giollaithe
Girseach (*gin.* girsí; *tabh.* girsigh)
Gléas (*iol.* gléastaí = gléasanna)
Gnoithe, gnoitheach = gnó, gnóthach
Goidé = cad é
Goiste = coiste
Gruaidh = grua
Gualainn (*gin.* gualann; *iol.* guailneacha = guaillí)

H

Haincearsan = ciarsúr

I

Insín = oileán beag
Inteacht = éigin
Iomaireacha = iomairí
Ionraice = ionraic

L

Ladhar (*iol.* ladhra = ladhracha)
Laethe = laethanta (*tabh. iol.* laethibh)
Lag = log (*iol.* lagracha = loig)
Leabaidh = leaba
Leanstan = leanúint
Léimeadh = léim
Léimint = léim
Léithe = léi
Loirgin = lorga

M

Mac mallachtan = an diabhal
Madadh = madra
Máirtíneach = an Cigire W.L. Martin a maraíodh i nGaoth Dobhair 3 Feabhra 1889
Malaidh = mala (*iol.* malaíocha = malaí)
Máthair (*gin.* máthara = máthar)
Meadhar = meidhir (*gin.* meadhair = meidhre)
Meadhrach = meidhreach
Méaradradh = méaraíocht
Méidhligh = méileach
Mionna = mionn
Móin (*gin.* mónadh; tabh. mónaidh)
Monamar = monabhar
Mothachtáil = mothú
Muinéal (*gin.* muinéil = muiníl)
Murab ea = murach
Murdán = burdán (fear bídeach)
Muscail = múscail

N

Nailearaí = tairneoir
Níon = iníon
Nuaíocht = nuacht
Nuala (*ainm dílis mná*) (*gin.* Nualann)

O

Ochras = fochras
Oibir = oibrigh
Óigh = ógh
Óstas = óstaíocht

P

Partán = portán
Pasantóirí = paisinéirí
Pasóid = pasáiste

Pighinn = pingin (*gin.* pighne = pingine; *iol.* pighneacha = pinginí)
Pilleann = filleann
Pioctúir = pictiúr
Póiteoirí = pótairí
Póitín = poitín
Posta = post
Punta = punt

R
Rámhailligh = rámhaille
Rann = roinn (*foirm tháite* rannas)
Rása = rás
Reath = rith
Réitiú = réiteach
Rosc (*iol.* rosca = roisc)
Rua (*gin. fir.* ruaidh; *gin. bain.* ruaidhe)
Ruball = eireaball
Ruscaidh Pól = ainm áite i Machaire Chlochair

S
Samhail (*br.*) = samhlaigh
Sáthadh = sá
Scaifte = scata
Scamhán = scamhóg
Scathiongan = scafach iongan (*iol.* scathingne)
Scealp = scailp (*iol.* scealpacha; *tabh.* scealpaigh)
Scoróg = corróg (*tabh.* scoróig)
Scréachaigh = scréachach
Seáspán = sáspan
Seisear (*bain.* an tseisear)
Sleagh = sleá (*iol.* sleagha = sleánna)
Smaointeadh = smaoineamh
Socair (*br.*) = socraigh
Sógh = só (*gin.* sógha)
Soiléireach = soiléir
Sonasta = sonasach
Spád (*tabh.* spáid)
Spailpíneacht = spailpínteacht
Spanóg = spúnóg
Spéaclóirí = spéaclaí
Srannfaigh = srannfach
Sréadaí = tréadaí
Srian (*gin.* sréin = sriain)
Stát (*iol.* státaí = stáit)
Stil (*gin.* stileadh)
Stróc = stróic (stróctha = stróicthe)
Suipín siúgh = éirí croí, siabhrán

T
Tachtaithe = tachta
Tar (dá dtigtheá = dá dtiocfá)
Taradh (*modh ordaitheach*) = tagadh
Teanga (*gin.* teangtha, *tabh.* teangaidh)
Tiorabuac = hurlamaboc
Toiseach = tosach
Toisigh, toisíonn, toisíodh = tosaigh, tosaíonn, tosaíodh
Torthach = torthúil
Tráigh = trá (*gin.* trágha)
Triostáil = trusáil
Truisneach = troistneach
Tuint = tointe
Túirne = tuirne

U
Uaimheacha = uaimheanna
Urnais = áirnéis
Uthairt = únfairt

NÓTAÍ EAGARTHÓIREACHTA

Tá cuid mhór athruithe tagtha ar chúrsaí gramadaí agus ar an chóras litrithe ó foilsíodh *Cáitheadh na dTonn* i 1934. Sa leagan úr seo rinneadh iarracht an saibhreas a bhaineann leis an bhunleagan a chaomhnú oiread agus ab fhéidir agus na rialacha úra gramadaí agus litrithe á gcur i bhfeidhm. Mar sin féin, tá rialacha gramadaí agus foirmeacha focal ar leith sa bhunleagan nár mhaith a athrú mar gheall ar a ndeismireacht chainte agus go léiríonn siad gné shuntasach inteacht de chanúint an údair. Tugtar míniúchán anseo a leanas ar an mhodh eagarthóireachta a cuireadh i bhfeidhm.

An tAinmfhocal agus an Aidiacht

Sa bhunleagan den leabhar, bhain Muirghein úsáid as roinnt iolraí nach bhfuil de réir an Chaighdeáin Oifigiúil (na foirmeacha caighdeánacha idir lúibíní), m.sh.: bádaí (báid), bonnaí (boinn), pighneacha (pinginí), malaíocha (malaí), cruinníocha (cruinnithe), ordaíocha (orduithe), uaimheacha (uaimheanna), srl. Fágadh na hiolraí sin faoi mar a bhí siad sa bhunleagan.

Is minic a chuirtear -í breise leis an iolra chaighdeánach, m.sh.: ballógaí, bratógaí, carrannaí, céadtaí, cifleogaí, comharsanaí, girseachaí, glórthaí, spéarthaí, srl. Fágadh na samplaí sin go léir sa leagan úr.

Is iondúil foirm an ainmnigh iolra á húsáid sa ghinideach iolra i gcás na dtréaniolraí. Mar sin féin, faightear corrshampla de ghinideach iolra ar leith fríd an leabhar m.sh.: na bpoibleach, na mblian, na n-uibheach, na mboilgeach, na mbéimeann, srl. Coinníodh na samplaí ar leith sin sa leagan úr.

Coinníodh leaganacha Conallacha ar leith den ghinideach san uimhir uatha, m.sh.: leabaidh na cisteanadh, os cionn na tineadh, de chois na trágha, deireadh na mónadh, béal na habhna, adhlacadh a máthara, go tigh a athara, srl.

Minic go leor, baintear úsáid as foirm ar leith den ainmfhocal sa tuiseal tabharthach uatha, m.sh.: ar an chruaich, ar an leic, i ngainimh, i bhfuinneoig, ar an mhéis, den ghríosaigh, ar an Chroich, don bhaintrigh, le bláthaigh, chuig mnaoi, ar thaoibh, den tslait, ar do chéill, sa ghréin, srl. Fágadh na samplaí sin sa leagan úr.

Ar an dul chéanna, bhí foirmeacha ar leith den aidiacht le fáil uaireanta sa tuiseal tabharthach uatha agus fágadh na samplaí sin mar a bhí siad, m.sh.: i ngríosaigh dheirg, don lánúin óig, leis an ghaoith mhóir, de shlait bhig, ag an mhónaidh chruaidh, ins an smeach dheireanaigh, ag an ghirsigh bhoicht, srl.

D'úsáid Muirghein sainleaganacha den tabharthach iolra go minic fosta. Socraíodh cloí leo díreach mar a bhí siad sa bhunleagan, m.sh.: ar na beannaibh, leis na bliantaibh, i gcluasaibh, i gcroíthibh, fána cosaibh, le croisínibh, de dheilgnibh, de laethibh, fríd a dheoraibh, ar a glúinibh, srl.

An tAinm Briathartha

Fágadh an t-ainm briathartha mar a bhí sé sa bhunleagan (an fhoirm chaighdeánach idir lúibíní), m.sh.: batalaigh (batalach), béicigh (béicíl), bogadaigh (bogadh), clismearnaigh (clismearnach), feadalaigh (feadaíl), inse (insint), scarúint (scaradh), spréacharnaigh (spréacharnach), srannfaigh (srannfach), toiseacht (tosú), srl.

An Réamhfhocal

I gcásanna áirithe, cloíodh leis na foirmeacha a bhí sa leabhar de na réamhfhocail seo a leanas: fá (faoi), fríd (trí), ins an (sa/san), ins na (sna).

Úsáidtear an réamhfhocal a *(< de, do)* le hainmfhocal nó forainm a thagann roimhe a cheangal leis an ainm briathartha le cuspóir nó iarbheart a chur in iúl. Nuair a thagann an réamhfhocal seo roimh ainm briathartha a thosaíonn ar ghuta cuirtear dh' ar an ghuta sin: lóistín a dh'iarraidh, cuireadh Donnchadh a dh'obair, chuaigh Mícheál amach a dh'airneál, tháinig Ruairí a dh'amharc ar na prátaí, sheas sé bomaite a dh'éisteacht leo, sula dtéadh an sréadaí a dh'urnaí, srl.

Na Forainmneacha Réamhfhoclacha

Cloíodh leis na foirmeacha canúna de na forainmneacha réamhfhoclacha a bhí sa bhunleagan den leabhar (na foirmeacha caighdeánacha idir lúibíní), m.sh.: daofa (dóibh), daoithe (di) *(< do)*, díofa (díobh), dithe (di) *(< de)*, domh (dom), fríd (tríd), fríom (tríom), fríthe (tríthi), léithe (léi).

An Briathar

Cloíodh le foirm an bhuntéacs de na briathra rialta seo a leanas (an fhoirm chaighdeánach idir lúibíní): codlaigh (codail), cuartaigh (cuardaigh), oibir (oibrigh), pill (fill), rann (roinn), samhail (samhlaigh), toisigh (tosaigh).

I gcásanna áirithe, cuirtear rialacha a bhaineann leis an chéad réimniú i bhfeidhm ar bhriathra den dara réimniú a gcoimrítear san aimsir ghnáthchaite, sa mhodh choinníollach agus san aimsir láithreach/ghnáthláithreach (na leaganacha caighdeánacha idir lúibíní), m.sh.: dá mbagradh (dá mbagraíodh), coigleann (coiglíonn), fosclann (osclaíonn), labhrann (labhraíonn). Tarlaíonn an rud céanna i gcás na mbriathra seo san aimsir chaite nuair a úsáidtear mar shaorbhriathra iad. Féach an pointe eolais faoin tsaorbhriathar thíos.

Coinníodh foirmeacha stairiúla agus leaganacha malartacha ar leith de bhriathra neamhrialta áirithe faoi mar a bhí siad sa bhuntéacs (na foirmeacha caighdeánacha idir lúibíní), m.sh.: bheir (tugann), bhéarfaidh (tabharfaidh), bhéarfadh (thabharfadh), ní abrann (ní deir), níor dhúradh (ní dúradh), ghní (déanann), ghníodh (dhéanadh), ghníthear (déantar), go bhfuigheadh (go bhfaigheadh), ní bhfuighfeá (ní bhfaighfeá), tchí (feiceann), tchífidh (feicfidh), tchífeadh (d'fheicfeadh), tig (tagann), ní thig (ní thagann), thigeadh (thagadh), ní tháinig (níor tháinig), go dtáinig (gur tháinig), ní dheachaidh (ní dheachaigh), nach dtéid (nach dtéann).

Cloíodh leis na foirmeacha seo a leanas den tsaorbhriathar san aimsir chaite (foirm an chaighdeáin idir lúibíní): níor haithníodh (níor aithníodh), báitheadh (bádh), ceistníodh (ceistíodh), foscladh (osclaíodh), hiarradh (iarradh), hiompraíodh (iompraíodh), hinseadh (insíodh), híslíodh (íslíodh), níor labhradh (níor labhraíodh), hordaíodh (ordaíodh), rannadh (roinneadh), sáitheadh (sádh), socradh (socraíodh), tarraingeadh (tarraingíodh), toisíodh (tosaíodh).

Fágadh an fhoirm tháite den chéad agus den tríú pearsa uimhir iolra den bhriathar san aimsir chaite nuair a bhí sé le fáil sa bhunleagan, m.sh.: go ndearnamar, leagadar, chaitheadar, dúradar, bhíodar, srl.

Coinníodh an fhoirm choibhneasta ar leith den bhriathar san aimsir láithreach agus san aimsir fháistineach agus pléadh leis an mhír choibhneasta 'a' díreach mar a pléadh léi sa bhunleagan, m.sh.: goidé a ghníos, soitheach a bhéarfas, greim a chuireas, mar rachas siad, goidé dhéanfas tú, srl.

I gcásanna áirithe, fágadh foirmeacha den mhodh foshuiteach faoi mar a bhí siad sa bhuntéacs, m.sh.: dá mbíodh a fhios agam, dá mbíodh neart air, dá dtigeadh, go dtigidh, srl. I gcásanna eile rinneadh na foirmeacha a scríobh de réir litriú an lae inniu, m.sh.: go gcuire sé, go ndamnaí, muna dtuga, srl.

Bhain Muirghein neart úsáide as an aimsir láithreach stairiúil ina chuid scríbhneoireachta. Fágadh na foirmeacha sin sa leagan úr seo den leabhar, m.sh.: stadaidh den troid, fosclaidh taobh na binne, tigidh an curach lena thaobh, téidh sé amach, bídh siad ag áireamh, buailidh Mícheál, siúilidh drochscéal ar an ghaoith, féadaidh Ifreann a bheith olc, suidhidh siad ag an tinidh, srl.

I gcásanna áirithe, fágtar focail a thosaíonn le d, t nó s lom i ndiaidh na foirme copailí ba, m.sh.: ba deacair, ba deas, ba deise, ba dual, ba sine, ba taitneamhaí, ba tanaí.

Socraíodh ar dheirí Ultacha na mbriathra sa dara réimniú a choinneáil mar a bhí sa bhunleagan ach an litriú a thabhairt suas chun dáta nuair a bhí gá leis sin (na foirmeacha caighdeánacha idir lúibíní), m.sh.: abróchaidh (déarfaidh), d'aithneochadh (d'aithneodh), a chuideochas (a chuideoidh), coinneochaidh (coinneoidh), chónóchadh (chónódh), choscróchadh (choscródh), go gceannóchaimis (go gceannóimis), go bhfosclóchadh (go n-osclódh), inseochaidh (inseoidh), nach salóchadh (nach salódh), nach samhlóchaí (nach samhlófaí), nuair a thiontóchas (nuair a thiontóidh), srl.

Ba mhinic a d'fhág Muirghein an mhír bhriathartha 'a' ar lár roimh an ainm bhriathartha, rud a bhain le stíl agus a luí ar uairibh le caint na ndaoine. Sa leagan úr seo den leabhar, socraíodh ar an mhír bhriathartha seo a chur isteach gach áit ar fágadh ar lár í ach amháin sna sleachta athfhriotail. I gcás na sleachta athfhriotail cuireadh uaschamóg isteach mar chomhartha ar an mhír bhriathartha 'a' aon áit ar fhóir sé sin a dhéanamh (na leaganacha leasaithe idir lúibíní), m.sh.: lena cuid tae dhéanamh (lena cuid tae a dhéanamh), "...leis an chrudh a bhí tú thabhairt do Mháire..." ("...leis an chrudh a bhí tú 'thabhairt do Mháire..."), srl.